Obras de
PAULO COELHO
na Editora *Pergaminho*

O ALQUIMISTA
1.ª edição, Lisboa, 1990

◆

O DIÁRIO DE UM MAGO
1.ª edição, Lisboa, 1990

◆

BRIDA
1.ª edição, Lisboa, 1991

◆

AS VALQUÍRIAS
1.ª edição, Lisboa, 1993

◆

NA MARGEM DO RIO PIEDRA EU SENTEI E CHOREI
1.ª edição, Lisboa, 1994

◆

MAKTUB
1.ª edição, Lisboa, 1995

◆

O MONTE CINCO
1.ª edição, Lisboa, 1996

◆

MANUAL DO GUERREIRO DA LUZ
1.ª edição, Lisboa, 1997

◆

VERONIKA DECIDE MORRER
1.ª edição, Lisboa, 1999

◆

O DEMÓNIO E A SENHORITA PRYM
1.ª edição, Cascais, 2000

◆

ONZE MINUTOS
1.ª edição, Cascais, 2003

◆

O ZAHIR
1.ª edição, Cascais, 2005

Pergaminho

PAULO
COELHO

O DIÁRIO DE UM MAGO

O Diário de um Mago
Paulo Coelho

Edição portuguesa baseada na
edição brasileira da Editora Rocco, Ltd.
Rio de Janeiro, Brasil

Copyright © 1987 by Paulo Coelho

Paulo Coelho Homepage
http://www.paulocoelho.com.br

Esta edição foi publicada
com o acordo da *Sant Jordi Asociados,*
Barcelona, Espanha.
All rights reserved

As práticas de RAM foram gentilmente cedidas por RAM/BRASIL
(Caixa Postal 43002 – CEP 22052 – Rio)

VENDA INTERDITA NO BRASIL

Direitos reservados para
a língua portuguesa (Portugal) à
Editora *Pergaminho,* Lda.
Lisboa, Portugal

1.ª edição: 1990 (várias reimpressões)
2.ª edição: 1996 (várias reimpressões)

Edição Compacta
Texto Integral
3.ª edição, 1999
Várias reimpressões de 1999 até 2004
4.ª edição, 2005

ISBN 972-711-698-1

PREFÁCIO

Sentado num jardim de uma cidade no sul de França.
Ao meu lado, uma carta de Elisabetta Sgarbi, a minha editora, pe-
dindo uma apresentação de O Diário de Um Mago ao público italiano.
Água mineral.
Café.
Temperatura de 27° C na tarde de 1 de Junho 2001.
Pessoas que conversam, pessoas que caminham.
Pessoas que também bebem o seu café e a sua água mineral.

Então volto quinze anos atrás no tempo, uma tarde, um café, uma
água mineral, pessoas que conversam e caminham – só que desta vez o
cenário são as planícies de Leon, o idioma é o espanhol, o meu aniver-
sário aproxima-se, já saí de Saint-Jean Pied-de-Port há muito tempo, e
estou a pouco mais de metade do caminho que conduz a Santiago de
Compostela. Olho para a frente, a paisagem monótona, o guia que
também bebe o seu café num bar que parece ter surgido de lugar
nenhum. Olho para trás, a mesma paisagem monótona, com a única
diferença de que a poeira do chão tem as marcas das solas dos meus
sapatos – mas isso é temporário, o vento apagá-las-á antes que chegue a
noite. Tudo me parece irreal. O que faço aqui? Esta pergunta continua
a acompanhar-me, embora várias semanas já se tenham passado.
Procuro uma espada. Cumpro um ritual de RAM, uma pequena
ordem dentro da Igreja Católica, sem segredos ou mistérios além da

tentativa de compreender a linguagem simbólica do mundo. Penso que fui enganado, que a busca espiritual não passa de uma coisa sem sentido ou lógica, e que seria melhor estar no Brasil, fazendo o que eu fazia sempre. Duvido da minha sinceridade na busca espiritual – porque dá muito trabalho procurar um Deus que nunca se mostra, rezar a horas certas, percorrer caminhos estranhos, ser disciplinado, aceitar ordens que me parecem absurdas.

É isso: duvido da minha sinceridade. Todos estes dias Petrus tem dito que o caminho é de todos, das pessoas comuns, o que me deixa muito decepcionado. Eu pensava que todo este esforço me daria um lugar de destaque entre os poucos eleitos que se aproximam dos grandes arquétipos do Universo. Eu pensava que ia finalmente descobrir que são verdadeiras todas as histórias a respeito de governos secretos de sábios no Tibete, de poções mágicas capazes de suscitar amor onde não existe atracção, de rituais onde de repente as portas do Paraíso nos aparecem à frente.

Mas é exactamente o contrário do que Petrus me diz: não existem eleitos. Todos são escolhidos se, em vez de se perguntarem "o que faço aqui", resolverem fazer qualquer coisa que desperte o entusiasmo nos seus corações. É no trabalho com entusiasmo que está a porta do paraíso, o amor que transforma, a escolha que nos leva até Deus. É esse entusiasmo que nos liga ao Espírito Santo, e não as centenas de milhares de leituras dos textos clássicos. É a vontade de acreditar que a vida é um milagre que permite que os milagres aconteçam, e não os chamados "rituais secretos" ou "ordens iniciáticas". Enfim, é a decisão do homem de cumprir o seu destino que o faz ser realmente um homem – e não as teorias que ele arquitecta em torno do mistério da existência.

E aqui estou eu. Um pouco além do meio do caminho que me leva a Santiago de Compostela.

Nesta tarde em Leon, no longínquo ano de 1986, eu ainda não sei que daqui a seis ou sete meses irei escrever um livro sobre esta minha experiência, que já caminha pela minha alma o pastor Santiago em busca de um tesouro, que uma mulher chamada Veronika se prepara para ingerir algumas pílulas e tentar suicidar-se, que Pilar chegará diante do rio Piedra e escreverá, chorando, o seu diário. Tudo o que sei neste momento é que estou tenso, nervoso, incapaz de conversar com Petrus, porque acabo de me dar conta de que já não posso voltar a fazer o que fazia – mesmo que isso signifique abrir mão de bastante dinheiro no fim do mês, de uma certa estabilidade emocional, de um trabalho que já conheço e do qual domino algumas técnicas. Preciso de mudar, seguir em direcção ao meu sonho, um sonho que me parece infantil, ridículo, impossível de ser realizado: tornar-me o escritor que secretamente sempre desejei ser, mas que não tenho coragem de ser.

Petrus acaba de beber o seu café, a sua água mineral, pede que pague a despesa e que continuemos logo a andar, já que ainda faltam alguns quilómetros até à próxima cidade. As pessoas continuam a passar e a conversar, olhando pelo canto dos olhos os dois peregrinos de meia-idade, pensando como há gente estranha neste mundo, sempre pronta a tentar reviver um passado que já está morto*. A temperatura deve rondar os 27° C, porque estamos no fim da tarde, e eu pergunto-me silenciosamente, pela milésima vez, o que estou a fazer ali.

Eu queria mudar? Acho que não, mas ao fim e ao cabo este caminho está a transformar-me. Eu queria conhecer os mistérios? Acho que sim, mas o caminho ensina-me que não existem mistérios, que – como dizia Jesus Cristo – não há nada oculto que não tenha sido revelado. Enfim, tudo acontece exactamente ao contrário do que eu esperava.

Levantamo-nos, e começamos a andar em silêncio. Estou imerso nos meus pensamentos, na minha insegurança, e Petrus deve estar a pensar – penso eu – no seu trabalho em Milão. Está aqui porque de alguma maneira foi obrigado pela tradição, mas possivelmente espera que esta caminhada termine rapidamente, para que possa voltar a fazer o que gosta.

---

* *No ano em que fiz a peregrinação, apenas 400 pessoas tinham percorrido o Caminho de Santiago. No ano de 1999, segundo estatísticas não oficiais, 400 pessoas passavam – por dia – diante do bar mencionado no texto.*

Andamos quase todo o resto da tarde sem uma palavra. Ainda não existem telefones celulares, faxes. Estamos isolados na nossa convivência forçada. Santiago de Compostela está à nossa frente, e não posso imaginar que este caminho me conduz não apenas a esta cidade, mas a muitas outras cidades do mundo. Nem eu nem Petrus sabemos que nesta tarde, na planície de Leon, eu caminho também para Milano, a sua cidade, onde chegarei quase dez anos depois, com um livro chamado O Alquimista. *Eu caminho para o meu destino, tantas vezes sonhado e outras tantas vezes negado. Eu estou a caminhar para o jardim onde nesta tarde de Junho de 2001 existe um café, uma água mineral, um Sol agradável, e uma carta de Elisabetta, que me pede um prefácio para a edição italiana de* O Diário de Um Mago.

Eu caminho para ver publicado, no país onde Petrus nasceu, a história do meu renascimento.

PAULO COELHO
Jardim Massey, Tarbes, França, 1 de Junho de 2001.

Quando começámos a peregrinação, eu achei que tinha realizado um dos maiores sonhos da minha juventude. Tu eras para mim o bruxo D. Juan, e eu revivia a saga de Castañeda em busca do extraordinário.

Mas tu resististe bravamente a todas as minhas tentativas de transformar-te em herói. Isto tornou muito difícil o nosso relacionamento, até que entendi que o Extraordinário reside no Caminho das Pessoas Comuns. Hoje em dia, esta compreensão é o que possuo de mais precioso na minha vida, permite-me fazer qualquer coisa, e irá acompanhar-me para sempre.

Por esta compreensão – que agora procuro dividir com outros – este livro vai ser dedicado a ti, Petrus.

O Autor

Então disseram-lhe:
Senhor, eis aqui duas espadas.
E Ele respondeu:
Basta.

Lucas, XXII, 38

O CAMINHO DE SANTIAGO

PRÓLOGO

– E que, diante da Face Sagrada de RAM, toques com as tuas mãos a Palavra da Vida, e recebas tanta força que te tornes testemunha dela até aos Confins da Terra!

O Mestre levantou a minha nova espada para o alto, mantendo-a dentro da bainha. As chamas na fogueira crepitaram, um presságio favorável, indicando que o ritual devia prosseguir. Então abaixei-me e, com as mãos nuas, comecei a cavar a terra à minha frente.

Era a noite do dia 2 de Janeiro de 1986, e nós estávamos no alto de uma das montanhas da Serra do Mar perto da formação conhecida como Agulhas Negras. Além de mim e do meu Mestre estavam também a minha mulher, um discípulo meu, um guia local, e um representante da grande fraternidade que congregava as ordens esotéricas em todo o mundo, e que era conhecida pelo nome de Tradição. Todos os cinco – inclusive o guia, que já tinha sido avisado previamente do que iria acontecer – estavam a participar na minha ordenação como Mestre da Ordem de RAM.

Terminei de escavar um buraco pouco fundo, mas comprido, no solo. Com toda a solenidade toquei a terra, pronunciando as palavras rituais. A minha mulher então aproximou-se e entregou-me a espada que eu tinha utilizado por mais de dez anos, e que me tinha auxiliado tanto em centenas de Operações Mágicas durante aquele tempo. Depositei a espada no buraco que tinha feito. Depois, atirei terra por cima e aplainei de novo o terreno. Enquanto fazia isto lembrava-me das provas por que havia passado, das coisas que tinha conhecido e dos fenómenos que era capaz de provocar simplesmente porque tinha comigo aquela espada tão antiga e tão minha amiga. Agora ela ia ser devorada pela terra, o ferro da sua lâmina e a madeira do seu cabo servindo novamente de alimento ao local de onde tinha tirado tanto Poder.

O Mestre aproximou-se e colocou a minha nova espada diante de mim, em cima do local onde eu tinha enterrado a antiga. Todos então abriram os braços, e o Mestre, utilizando o seu Poder, fez com que em volta de nós se formasse uma espécie de luz estranha, que não clareava, mas que era visível, e fazia com que o vulto das pessoas tivesse uma cor diferente do amarelo projectado pela fogueira. Então, desembainhando a sua própria espada, tocou nos meus ombros e na minha testa, enquanto dizia:

– Pelo Poder e pelo Amor de RAM, nomeio-te Mestre e Cavaleiro da Ordem, hoje e para o resto dos dias desta tua vida. **R** de Rigor, **A** de Amor, **M** de Misericórdia; **R** de *Regnum,* **A** de *Agnus,* **M** de *Mundi.* Quando tocares a tua espada, que ela jamais fique muito tempo na bainha, porque vai enferrujar. Mas quando sair da bainha, que ela jamais volte sem antes haver feito um Bem, aberto um Caminho, ou bebido o sangue de um Inimigo.

E com a ponta da sua espada feriu levemente a minha testa. A partir daquele momento eu já não precisava de ficar em silêncio. Não precisava de esconder aquilo de que era capaz, nem ocultar os prodígios que tinha aprendido a realizar no caminho da Tradição. A partir daquele momento eu era um Mago.

Estendi a mão para pegar na minha nova espada, de aço que não se destrói e de madeira que a terra não consome, com o seu punho preto e vermelho e a sua bainha preta. Porém, no momento em que as minhas mãos tocaram na bainha, e que me preparava para trazê-la até mim, o Mestre deu um passo em frente e com toda a violência pisou os meus dedos, fazendo com que eu gritasse de dor e largasse a espada.

Olhei para ele sem entender nada. A luz estranha desaparecera e o rosto do Mestre tinha agora a aparência fantasmagórica que as chamas da fogueira desenhavam.

Ele olhou-me friamente, chamou a minha mulher e entregou-lhe a nova espada. Depois virou-se para mim e disse:

– Afasta a tua mão que te ilude! Porque o caminho da Tradição não é o caminho dos poucos escolhidos, mas o caminho de todos os homens! E o Poder que tu pensas que tens não vale nada, porque não é um Poder que se divida com os outros homens! Devias ter recusado a espada, e se tivesses feito isso ela ser-te-ia entregue, porque o teu coração estava puro. Mas, como eu temia, no momento sublime escorregaste e caíste. E por causa da tua avidez, terás que caminhar novamente em busca da tua espada. E por causa da tua soberba, terás que buscá-la entre os homens simples. E por causa do teu fascínio pelos prodígios, terás que lutar muito para conseguir de novo aquilo que tão generosamente te ia ser entregue.

Foi como se o mundo tivesse fugido debaixo dos meus pés. Continuei ajoelhado, atónito, sem querer pensar em nada. Uma vez que já tinha devolvido a minha antiga espada à terra, não podia pegar nela de novo. E uma vez que a nova não me tinha sido entregue, estava de novo como alguém que tivesse começado naquele instante, sem poder e sem defesa. No dia da minha suprema Ordenação Celeste, a violência do meu Mestre, pisando os meus dedos, devolvia-me ao mundo do ódio e da Terra.

O guia apagou a fogueira, e a minha mulher veio até mim e ajudou-me a levantar. Ela tinha a minha nova espada nas mãos, mas pelas regras da Tradição eu jamais poderia tocá-la sem permissão do meu Mestre. Descemos em silêncio pelo meio da mata, seguindo a lanterna do guia, até chegarmos à pequena estrada de terra onde os carros estavam estacionados.

Ninguém se despediu de mim. A minha mulher colocou a espada na mala do carro e arrancou. Ficámos um longo tempo em silêncio, enquanto ela guiava devagar, contornando os buracos e as valas do caminho.

– Não te preocupes – disse ela, tentando animar-me um pouco. – Tenho a certeza de que irás consegui-la de volta.

Perguntei-lhe o que o Mestre lhe tinha dito.

– Ele disse-me três coisas. Primeiro, que ele devia ter levado um agasalho, porque ali em cima fazia muito mais frio do que ele pensara. Segundo, que nada daquilo tinha sido uma surpresa para ele, e que já havia acontecido muitas outras vezes, com muitas outras pessoas que tinham chegado até onde tu chegaste. E terceiro, que a tua espada ficaria à tua espera numa hora certa, numa data certa, em algum ponto de um caminho que terás que percorrer. Eu não sei nem a data nem a hora. Ele falou-me apenas do local onde devo escondê-la para que a encontres.

– E qual é esse caminho? – perguntei, nervoso.

– Ah, isso ele não explicou muito bem. Disse apenas que procurasses no mapa de Espanha, uma rota antiga, medieval, conhecida como o Estranho Caminho de Santiago.

A CHEGADA

O guarda alfandegário olhou demoradamente a espada que a minha mulher trazia, e perguntou o que pretendíamos fazer com aquilo. Eu disse que um amigo nosso ia avaliá-la para a levarmos a leilão. A mentira deu resultado; o guarda deu-nos uma declaração de que tínhamos entrado com a espada pelo aeroporto de Barajas, e avisou que se houvesse problemas em retirá-la do país, bastava mostrar aquele papel na Alfândega.

Fomos até ao balcão da agência de aluguer de automóveis e confirmámos a reserva que tínhamos feito de dois carros. Pegámos nos *tickets* e fomos ambos comer alguma coisa ao restaurante do próprio aeroporto, antes de nos despedirmos.

Eu tinha passado uma noite em claro no avião – mistura de medo de voar com medo do que iria acontecer dali para a frente – mas mesmo assim estava excitado e desperto.

– Não te preocupes – disse ela pela milésima vez. – Deves ir até França, e em Saint-Jean Pied-de-Port deves procurar Mme. Christine. Ela vai-te pôr em contacto com alguém que te indicará o Caminho de Santiago.

– E tu? – perguntei também pela milésima vez, já sabendo a resposta.

– Vou até onde tenho que ir, deixar o que me foi confiado. Depois fico em Madrid alguns dias, e volto para o Brasil. Sou capaz de dirigir as nossas coisas tão bem como tu.

– Isso sei eu – respondi, querendo evitar o assunto. A minha preocupação com os negócios que havia deixado no Brasil era enorme. Aprendi o necessário sobre o Caminho de Santiago nos quinze dias que se seguiram ao incidente nas Agulhas Negras, mas tinha demorado quase sete meses para decidir largar tudo e fazer a viagem. Até que certa manhã a minha mulher disse-me que a hora e a data se aproximavam, e se eu não tomasse uma decisão devia esquecer para sempre o caminho da Magia e a Ordem de RAM. Tentei mostrar-lhe que o Mestre me dera uma tarefa impossível, já que eu não podia simplesmente sacudir dos ombros a responsabilidade do trabalho diário que tinha. Ela riu e disse que eu estava a dar uma desculpa tola, pois naqueles sete meses eu pouco tinha feito além de passar noites e dias perguntando-me se devia ou não viajar. E no gesto mais natural do mundo, estendeu-me as duas passagens já com data de voo marcada.

– Foi porque tu decidiste que estamos aqui – disse eu no café do aeroporto. – Não sei se isto está certo; deixar partir de outra pessoa a decisão de procurar a minha espada.

A minha mulher disse que se íamos voltar a falar de tolices era melhor pegar nos automóveis e despedirmo-nos logo.

– Tu jamais deixarias que qualquer decisão na tua vida partisse de outra pessoa. Vamos já, pois está a ficar tarde. – Levantou-se, pegou na sua bagagem e dirigiu-se para o estabelecimento. Eu não me mexi. Fiquei sentado, a olhar a maneira displicente como ela carregava a minha espada, ameaçando escorregar a todo o momento de debaixo do seu braço.

No meio do caminho ela parou, voltou até à mesa onde eu estava, deu-me um sonoro beijo na boca e olhou-me sem dizer nada durante muito tempo. De repente percebi que estava em Espanha, que já não podia voltar atrás. Mesmo com a horrível certeza de que tinha muitas hipóteses de fracassar, já dera o primeiro passo. Então abracei-a com muito amor, com todo o amor que sentia naquele momento e, enquanto ela estava nos meus braços, rezei a tudo e a todos em quem eu acreditava, implorei que me dessem forças para voltar com ela e com a espada.

– Bonita espada, viste? – comentou um voz feminina na mesa ao lado assim que minha mulher partiu.

– Não te preocupes – respondeu uma voz de homem.

– Eu compro-te uma exactamente igual. As lojas de turismo aqui em Espanha têm milhares delas.

Depois de uma hora a guiar, o cansaço acumulado pela noite anterior começou a surgir. Além disso, o calor de Agosto era tão forte que, mesmo a andar numa estrada desimpedida, o carro começava a mostrar problemas de sobreaquecimento. Resolvi parar um pouco numa cidadezinha que os cartazes da estrada anunciavam como Monumento Nacional. Enquanto subia a íngreme ladeira que me conduziria até ela, comecei a recordar mais uma vez tudo o que tinha aprendido sobre o Caminho de Santiago.

Assim como a tradição muçulmana exige que todo o fiel faça, pelo menos uma vez na vida, a caminhada que Maomé fez de Meca a Medina, o primeiro milénio do cristianismo conheceu três rotas consideradas sagradas, e que resultavam numa série de bênçãos e indulgências para quem percorresse qualquer delas. A primeira rota levava até ao túmulo de São Pedro, em Roma, os seus caminhantes tinham por símbolo uma cruz e eram chamados *romeiros*. A segunda rota levava até ao Santo Sepulcro de Cristo, em Jerusalém, e os que faziam este caminho eram chamados *palmeiros* porque tinham como símbolo as palmas com que Cristo foi saudado quando entrou na cidade. Finalmente existia um terceiro caminho – um caminho que levava até aos restos mortais do apóstolo Santiago, enterrados num local da Península Ibérica onde certa noite um pastor tinha visto uma estrela brilhante sobre um campo. A lenda conta que não apenas Santiago, mas a própria Virgem Maria, estiveram por ali, logo após a morte de Cristo, a levar a palavra do Evangelho e a exortar os povos a converterem-se. O local ficou sendo conhecido como Compostela – o campo da estrela – e logo surgiu uma cidade que iria atrair viajantes de todo o resto do mundo cristão. A estes viajantes que percorriam a terceira rota sagrada, foi-lhes dado o nome de *peregrinos,* e passaram a ter como símbolo uma concha.

Na sua época áurea, no século XIV, a Via Láctea (porque à noite os peregrinos orientavam-se por esta galáxia) chegou a ser percorrida em cada ano por mais de um milhão de pessoas, vindas de todos os cantos da Europa. Até hoje, místicos, religiosos e pesquisadores ainda fazem a pé os setecentos quilómetros que separam a cidade francesa de Saint-Jean Pied-de-Port da Catedral de Santiago de Compostela em Espanha*. Graças ao sacerdote francês Aymeric Picaud, que peregrinou até Compostela em 1123, a rota seguida hoje pelos peregrinos é exactamente igual ao caminho medieval que foi percorrido por Carlos Magno, São Francisco de Assis, Isabel de Castela, e mais recentemente pelo Papa João XXIII – entre muitos outros.

Picaud escreveu cinco livros sobre a sua experiência, apresentados como trabalho do Papa Calixto II – devoto de Santiago – e conhecido mais tarde como o *Codex Calixtinus.* No Livro V do *Codex Calixtinus, «Liber Sancti Jacobi»,* Picaud enumera as marcas naturais, fontes, hospitais, abrigos e cidades que se estendiam ao longo do caminho. Baseada nas anotações de Picaud, uma sociedade – «Les Amis de Saint-Jacques» (Santiago é *Saint-Jacques* em francês) – encarrega-se de manter até hoje estas marcas naturais e orientar os peregrinos.

Por volta do século XII, a nação espanhola começou a aproveitar a mística de Santiago na sua luta contra os mouros que tinham invadido a Península. Várias Ordens militares foram criadas ao longo do

---

* O Caminho de Santiago em território francês era composto por várias rotas, que se uniam numa cidade espanhola chamada Puente de La Reina. A cidade de Saint-Jean Pied-de-Port está localizada numa destas rotas, que não é a única nem a mais importante.

Caminho, e as cinzas do Apóstolo tornaram-se um poderoso amuleto espiritual para combater os muçulmanos, que diziam ter consigo um braço de Maomé. Finda a Reconquista, porém, as Ordens militares estavam tão fortes que começaram a ameaçar o Estado, obrigando os Reis Católicos a intervirem directamente para evitar que estas Ordens se insurgissem contra a nobreza. Por causa disso, o Caminho foi pouco a pouco caindo no esquecimento, e, se não fosse por manifestações artísticas esporádicas – como A *Via Lactea*, de Buñuel, ou *Caminante*, de Juan Manoel Serrat – ninguém hoje em dia seria capaz de se lembrar que por ali passaram milhares de pessoas que mais tarde iriam povoar o Novo Mundo.

A cidadezinha onde cheguei de carro estava absolutamente deserta. Depois de muito procurar, achei uma pequena cantina adaptada numa velha casa de estilo medieval. O dono – que não tirava os olhos da televisão – avisou-me que aquela era a hora da sesta e que eu era um louco por andar pela estrada com tanto calor.

Pedi um refrigerante, tentei ver um pouco de televisão, mas não conseguia concentrar-me em nada. Pensava apenas que dentro de dois dias ia reviver em pleno século XX um pouco da grande aventura humana que trouxe Ulisses de Tróia, andou com D. Quixote pela Mancha, levou Dante e Orfeu aos Infernos e Cristóvão Colombo até às Américas: a aventura de viajar em direcção ao Desconhecido.

Quando tornei a pegar no meu carro já estava um pouco mais calmo. Mesmo que não descobrisse a minha espada, a peregrinação pelo Caminho de Santiago ia acabar por fazer com que eu me descobrisse a mim mesmo.

SAINT-JEAN PIED-DE-PORT

Um desfile com personagens mascarados e uma banda de música – todos vestidos de vermelho, verde e branco, as cores do País Basco Francês – ocupava a rua principal de Saint-Jean Pied-de-Port. Era Domingo, eu tinha passado dois dias a conduzir, e não podia perder mais um minuto sequer assistindo àquela festa. Abri caminho entre as pessoas, ouvi alguns insultos em francês, mas terminei dentro das fortificações que constituíam a parte mais velha da cidade, onde deveria estar Mme. Christine. Mesmo naquela parte dos Pirenéus fazia calor durante o dia, e saí do automóvel ensopado em suor.

Bati à porta. Bati outra vez e nada. Uma terceira vez e ninguém respondeu. Sentei-me na borda do passeio, preocupado. A minha mulher dissera que eu deveria estar ali exactamente naquele dia, mas ninguém respondia aos meus chamados. Podia ser, pensei, que Mme. Christine tivesse saído para ver o desfile, mas também existia a possibilidade de eu ter chegado tarde de mais, e ela decidisse não me receber. O Caminho de Santiago acabava antes mesmo de ter começado.

De repente, a porta abriu-se e uma criança pulou para a rua. Levantei-me também de um salto e, num francês que não falava bem, perguntei por Mme. Christine. A garota deu uma risada e apontou para dentro. Só então percebi o meu erro: a porta dava para um imenso pátio, em torno do qual se estendiam velhas casas medievais com balcões. A porta tinha estado aberta para mim, e eu não tinha ousado sequer pegar na maçaneta.

Entrei apressado e dirigi-me para a casa que a garota me tinha indicado. Lá dentro, uma mulher idosa e gorda vociferava qualquer coisa em basco para um rapaz miúdo, de olhos castanhos e tristes. Aguardei algum tempo que a briga terminasse – e efectivamente terminou com o pobre rapaz a ser enviado para a cozinha debaixo de uma onda de insultos da velha. Só então ela se virou para mim e, sem sequer perguntar o que eu queria, conduziu-me – entre gestos delicados e empurrões – ao segundo andar da pequena casa. Lá em cima, havia apenas um escritório acanhado, cheio de livros, objectos, estátuas de São Tiago e recordações do Caminho. Ela retirou um livro da estante e sentou-se por detrás da única mesa existente, deixando-me de pé.

– O senhor deve ser mais um peregrino para Santiago – disse sem rodeios. – Preciso de anotar o seu nome no caderno dos que fazem o Caminho.

Dei o meu nome, e ela quis saber se eu tinha trazido as Vieiras. "Vieiras" era o nome dado às grandes conchas levadas como símbolo da peregrinação até ao túmulo do Apóstolo, e que serviam para que os peregrinos se identificassem entre si*. Antes de viajar para Espanha tinha ido até um lugar de peregrinação no Brasil, Aparecida do Norte. Lá tinha comprado uma imagem de N. Sra. Aparecida colocada sobre três vieiras. Tirei-a da mochila e estendia-a a Mme. Christine.

– Bonito, mas pouco prático – disse ela, devolvendo-me as vieiras. – Podem quebrar-se durante o Caminho.

– Não se quebrarão. E vou deixá-las sobre o túmulo do Apóstolo.

Parecia que Mme. Christine não tinha muito tempo para me atender. Deu-me uma pequena caderneta que me facilitaria a hospedagem nos mosteiros do Caminho, colocou um carimbo de Saint-Jean Pied-de-Port para indicar onde eu tinha iniciado a caminhada, e disse que podia partir na bênção de Deus.

– Mas onde está o meu guia? – perguntei.

---

* A única marca que o Caminho de Santiago deixou na cultura francesa foi justamente no orgulho nacional, a gastronomia: *Conquilles Saint-Jacques*.

– Que guia? – respondeu ela, um pouco surpreendida, mas também com um brilho distinto nos olhos.

Percebi que tinha esquecido algo muito importante. No afã de chegar e ser logo atendido, não tinha pronunciado a Palavra Antiga – uma espécie de senha que identifica aqueles que pertencem ou pertenceram às Ordens da Tradição. Imediatamente corrigi o meu erro e disse-lhe a Palavra. Mme. Christine, num gesto rápido, arrancou das minhas mãos a caderneta que me tinha entregue minutos antes.

– Não vai precisar disto – disse, enquanto retirava uma pilha de jornais velhos de cima de uma caixa de papelão. – O seu caminho e o seu descanso dependem das decisões do seu guia.

Mme. Christine tirou da caixa um chapéu e um manto. Pareciam peças de roupa muito antigas, mas estavam bem conservadas. Pediu-me que ficasse em pé no centro da sala, e começou a rezar, em silêncio. Depois colocou o manto nas minhas costas e o chapéu na minha cabeça. Pude notar que tanto no chapéu como em cada ombro do manto havia vieiras costuradas. Sem parar de rezar, a velha senhora pegou num cajado de um dos cantos do escritório e fez-me segurá-lo com a minha mão direita. No cajado prendeu uma pequena cabaça de água. Ali estava eu: por baixo, bermuda-*jeans* e *T-shirt* com I LOVE NY e, por cima, o traje medieval dos peregrinos a Compostela.

A velha aproximou-se até ficar a dois palmos de distância, na minha frente. Então, numa espécie de transe, colocando as mãos espalmadas sobre a minha cabeça, disse:

– Que o Apóstolo Santiago te acompanhe e te mostre a única coisa que precisas de descobrir; que não andes nem devagar nem depressa de mais, mas sempre de acordo com as Leis e as Necessidades do Caminho; que obedeças àquele que te vai guiar, mesmo quando te der uma ordem homicida, blasfema, ou insensata. Tu tens que jurar obediência total ao teu guia.

Eu jurei.

– O Espírito dos velhos peregrinos da Tradição acompanhar-te-á na jornada. O chapéu protege-te contra o sol e os maus pensamentos; o manto protege-te contra a chuva e as más palavras; o cajado protege-te contra os inimigos e as más obras. A bênção de Deus, de Santiago, e da Virgem Maria te acompanhe todas as noites e todos os dias. Ámen.

Dito isto, voltou à sua maneira habitual: com pressa e com um certo mau humor recolheu as roupas, guardou-as de novo na caixa, recolocou o cajado com a cabaça no canto da sala, e depois de ensinar-me as palavras de senha pediu-me que me fosse embora logo, pois o meu guia estava à minha espera a uns dois quilómetros de Saint-Jean Pied-de-Port.

– Ele detesta bandas de música – disse ela. Mas mesmo a dois quilómetros de distância deve estar a escutar: os Pirenéus são uma excelente caixa de ressonância.

E sem mais comentários, desceu as escadas e foi para a cozinha, atormentar um pouquinho mais o rapaz de olhos tristes. À saída perguntei o que deveria fazer com o carro, e ela disse que lhe deixasse as chaves, pois alguém viria buscá-lo. Fui até à mala do carro, peguei na pequena mochila azul com um saco de dormir amarrado, guardei no seu canto mais protegido a imagem de N. Sra. Aparecida com as conchas, coloquei-a às costas e fui dar as chaves a Mme. Christine.

– Saia da cidade seguindo esta rua até àquela porta lá no final das muralhas – disse-me. – E quando chegar a Santiago de Compostela, reze uma Ave-Maria por mim. Eu já percorri tantas vezes este caminho e agora contento-me em ler nos olhos dos peregrinos a excitação que ainda tenho, mas que não posso mais pôr em prática por causa da idade. Conte isto a Santiago. E conte-lhe também que muito em breve ir-me-ei encontrar com ele, por outro caminho – mais directo e menos cansativo.

Saí da pequena cidadezinha atravessando as muralhas pela Porte D'Espagne. No passado esta linha tinha sido a rota preferida dos invasores romanos, e por aqui também passaram os exércitos de Carlos

Magno e Napoleão. Segui em silêncio, ouvindo ao longe a banda de música e, subitamente, nas ruínas de um povoado perto de Saint-Jean, fui tomado de uma imensa emoção e os meus olhos encheram-se de água: ali, naquelas ruínas, pela primeira vez dei-me conta de que os meus pés estavam a pisar o Estranho Caminho de Santiago.

Em volta do vale, os Pirenéus, coloridos pela música da pequena banda e pelo sol daquela manhã, davam-me a sensação de algo primitivo, alguma coisa que já tinha sido esquecida pelo género humano, mas que de maneira nenhuma conseguia saber o que era. Era, porém, uma sensação estranha e forte, e resolvi apressar o passo e chegar o mais depressa possível ao local onde Mme. Christine dissera que o guia me esperava. Sem parar de caminhar, tirei a *T-shirt* e guardei-a na mochila. As alças começaram a magoar-me um pouco os ombros nus, mas em compensação os velhos ténis estavam tão macios que não me causavam nenhum incómodo. Depois de quase quarenta minutos, numa curva que contornava uma gigantesca pedra, cheguei ao velho poço abandonado. Ali, sentado no chão, um homem com os seus cinquenta anos – de cabelos pretos e aspecto cigano – remexia a sua mochila em busca de algo.

– Olá – disse eu, em espanhol, com a mesma timidez que tinha toda a vez que era apresentado a alguém. – Deve estar à minha espera. O meu nome é Paulo.

O homem parou de mexer na mochila e olhou-me de cima a baixo. O seu olhar era frio, e não pareceu surpreendido com a minha chegada. Também tive a vaga sensação de que o conhecia.

– Sim, esperava-o, mas não sabia que ia encontrá-lo tão cedo. O que quer?

Fiquei um pouco desconcertado com a pergunta, e respondi que era a mim que ele iria guiar pela Via Láctea em busca da espada.

– Não é preciso – disse o homem. – Se quiser, eu posso encontrá-la por si. Mas decida isso agora.

Cada vez achava mais estranha aquela conversa com o desconhecido. Entretanto, como tinha jurado obediência completa, preparei-me para responder. Se ele podia encontrar a espada por mim, ia poupar-me um tempo enorme, e eu poderia voltar rapidamente para as pessoas e para os negócios no Brasil, que não saíam da minha cabeça. Poderia também ser um truque, mas não haveria mal algum em dar uma resposta.

Resolvi dizer que sim. E de repente, por detrás de mim, ouvi uma voz em espanhol, num sotaque carregadíssimo:

– Não é preciso subir uma montanha para saber se ela é alta.

Era a senha! Olhei para trás e vi um homem dos seus quarenta anos, bermudas de caqui, *T-shirt* branca suada, olhando fixamente para o cigano. Tinha os cabelos grisalhos e a pele queimada pelo sol. Na minha pressa, tinha-me esquecido das regras mais elementares de precaução, e tinha-me atirado de corpo e alma nos braços do primeiro desconhecido que encontrara.

– O barco está mais seguro quando está no porto; mas não foi para isso que foram construídos os barcos – disse eu como contra-senha.

O homem, no entanto, não desviou os olhos do cigano, nem o cigano desviou os olhos dele. Os dois encararam-se, sem medo e sem desafio, por alguns minutos. Até que o cigano poisou a mochila no chão, fez um sorriso de desdém, e seguiu em direcção a Saint-Jean Pied-de-Port.

– O meu nome é Petrus* – disse o recém-chegado, assim que o cigano se sumiu atrás da imensa pedra que eu tinha contornado minutos antes. – Da próxima vez sê mais cauteloso.

Notei um tom simpático na sua voz, diferente do tom do cigano e da própria Mme. Christine. Ele pegou na mochila do chão e reparei que a mesma tinha desenhada uma vieira na parte detrás. Tirou de dentro uma garrafa de vinho, tomou um gole e estendeu-ma. Enquanto bebia, perguntei quem era o cigano.

---

* Na verdade, Petrus deu-me o seu verdadeiro nome. Para proteger a sua privacidade, o seu nome está trocado.

– Esta rota é uma rota de fronteira, muito utilizada por contrabandistas e por terroristas refugiados do País Basco Espanhol – disse
Petrus. – A polícia quase não vem aqui.

– Não estás a responder-me. Ambos se olharam como velhos
conhecidos. E tenho a impressão de que também o conheço, por isso
fui tão afoito.

Petrus deu uma risada e pediu que começássemos logo a andar.
Peguei nas minhas coisas, e começámos a caminhar em silêncio. Mas
pelo riso de Petrus, sabia que ele estava a pensar a mesma coisa que eu.
Nós tínhamos encontrado um demónio.

Caminhámos em silêncio durante um certo tempo, e Mme.
Christine tinha toda a razão: mesmo a quase três quilómetros de
distância ainda se ouvia o som da pequena banda que tocava sem
parar. Eu queria fazer muitas perguntas a Petrus – a sua vida, o seu
trabalho, e o que o tinha trazido a este local. Sabia, porém, que tínhamos ainda setecentos quilómetros para percorrer juntos, e chegaria
o momento certo de ter todas estas perguntas respondidas. Mas o
cigano não me saía da cabeça, e acabei por quebrar o silêncio.

– Petrus, acho que o cigano era o demónio.

– Sim, ele era o demónio – e quando confirmou isto, senti um
misto de terror e alívio.

– Mas não é o demónio que conheceste na Tradição.

Na Tradição, o demónio é um espírito que não é bom nem mau,
mas considerado guardião da maior parte dos segredos acessíveis ao
homem, e com força e poder sobre as coisas materiais. Por ser o anjo
caído, identifica-se com a raça humana e está sempre disposto a pac-
tos e trocas de favores. Perguntei qual era a diferença entre o cigano
e os demónios da Tradição.

– Nós vamos encontrar outros pelo caminho – riu ele. – Irás
perceber por ti. Mas, para teres uma ideia, procura lembrar-te de
toda a tua conversa com o cigano.

Recordei as duas únicas frases que tinha trocado com ele. Ele
tinha dito que me esperava, e tinha afirmado que procuraria a espada por mim.

Petrus então disse que eram duas frases que caberiam perfeitamente bem na boca de um ladrão que é surpreendido em pleno roubo de uma mochila: tentar ganhar tempo e conseguir favores, enquanto rapidamente traça uma rota de fuga. Ao mesmo tempo, as duas frases podiam ter um sentido mais profundo, ou seja – as palavras diziam exactamente o que pretendia dizer.

– Qual das duas está certa?

– Ambas estão certas. Aquele pobre ladrão, enquanto se defendia, captou no ar as palavras que deviam ser-te ditas. Achou que estava a ser inteligente, e estava a ser instrumento de uma força maior. Se ele tivesse fugido quando cheguei, esta conversa seria desnecessária. Mas ele encarou-me e eu li nos seus olhos o nome de um demónio que irás encontrar no caminho.

Para Petrus, o encontro tinha sido um presságio favorável, já que o demónio se tinha revelado cedo de mais.

– Entretanto, não te preocupes com ele agora, porque como eu disse antes, ele não será o único. Talvez seja o mais importante, mas não será o único.

Continuámos a andar. A vegetação, antes um pouco desértica, mudou para pequenas árvores espalhadas aqui e ali. Talvez fosse melhor mesmo seguir o conselho de Petrus, e deixar que as coisas acontecessem por si mesmas. De vez em quando ele fazia algum comentário a respeito de um ou de outro facto histórico que tinha ocorrido pelos lugares onde íamos passando. Vi a casa onde uma rainha havia pernoitado na véspera de morrer, e uma capelinha incrustada nas rochas, ermida de algum homem santo que os raros habitantes daquela área juravam ser capaz de fazer milagres.

– Os milagres são muito importantes, não achas? – disse ele.

Respondi que sim, mas que jamais tinha visto um grande milagre. O meu aprendizado na Tradição tinha sido muito mais no plano intelectual. Acreditava que, quando recuperasse a minha espada, aí sim, seria capaz de fazer as grandes coisas que o meu Mestre fazia.

– E que não são milagres, porque não mudam as leis da natureza. O que o meu Mestre faz é utilizar essas forças para...

Não consegui completar a frase, porque não achava nenhuma razão para que o Mestre conseguisse materializar espíritos, mudar objectos de lugar sem tocá-los e, como já tinha visto mais de uma vez, abrir buracos de céu azul em tardes cobertas de nuvens.

– Talvez ele faça isso para te convencer de que tem o Conhecimento e o Poder – respondeu Petrus.

– Sim, pode ser – respondi sem muita convicção.

Sentámo-nos numa pedra. porque Petrus disse-me que detestava fumar cigarros enquanto andava. Segundo ele, os pulmões absorviam muito mais nicotina, e o fumo causava-lhe náuseas.

– Por isso o teu Mestre recusou-te a espada – disse Petrus. – Porque não sabes a razão dele fazer os seus prodígios. Porque esqueceste que o caminho do conhecimento é um caminho aberto a todos os homens, às pessoas comuns. Na nossa viagem, vou ensinar-te alguns exercícios e alguns rituais, que são conhecidos como as Práticas de RAM. Qualquer pessoa, em algum momento da sua existência, já teve acesso a pelo menos uma delas. Todas elas, sem excepção, podem ser encontradas por alguém que se disponha a procurá-las, com paciência e com perspicácia, nas próprias lições que a vida nos ensina.

»As Práticas de RAM são tão simples que as pessoas como tu, acostumadas a sofisticar demasiado a vida, muitas vezes não lhes dão nenhum valor. Mas são elas, com mais três outros conjuntos de Práticas, que fazem o homem ser capaz de conseguir tudo, mas absolutamente tudo, o que deseja.

»Jesus louvou o Pai quando os seus discípulos começaram a realizar milagres e curas, e agradeceu porque Ele tinha escondido estas coisas dos sábios e revelado aos homens simples. Afinal de contas, se alguém acredita em Deus, tem que acreditar também que Deus é justo.

Petrus tinha toda a razão. Seria uma injustiça divina permitir que só as pessoas instruídas, com tempo e dinheiro para comprar livros caros, pudessem ter acesso ao verdadeiro Conhecimento.

– O verdadeiro caminho da sabedoria pode ser identificado por três coisas apenas – disse Petrus. – Primeiro, ele tem que ter Ágape, e disso vou falar-te mais tarde; segundo, ele tem que ter uma aplicação prática na vida, senão a sabedoria torna-se uma coisa inútil e apodrece como uma espada que nunca é utilizada.

»E finalmente, ele tem que ser um caminho que possa ser trilhado por qualquer um. Como o caminho que trilhas agora, o Caminho de Santiago.

Andámos durante todo o resto da tarde e só quando o sol começou a desaparecer por detrás das montanhas é que Petrus resolveu parar de novo. À nossa volta, os picos mais altos dos Pirenéus ainda brilhavam com a luz dos últimos raios do dia.

Petrus pediu que eu limpasse uma pequena área no chão e me ajoelhasse ali.

– A Primeira Prática de RAM é renascer de novo. Terás que executá-la durante sete dias seguidos, tentando experimentar de uma maneira diferente aquilo que foi o teu primeiro contacto com o mundo. Tu sabes o quanto foi difícil largar tudo e vir percorrer o Caminho de Santiago em busca de uma espada, mas esta dificuldade só existiu porque estavas preso ao passado. Já foste derrotado e tens medo de ser derrotado novamente; já conseguiste alguma coisa, e tens medo de tornar a perdê-la. Entretanto, alguma coisa mais forte que tudo isso prevaleceu: o desejo de encontrar a tua espada. E resolveste correr o risco.

Respondi que sim, mas que ainda continuava com as mesmas preocupações a que ele se tinha referido.

– Não tem importância. O exercício, aos poucos, irá libertar-te das cargas que criaste para ti mesmo na tua vida.

E Petrus ensinou-me a Primeira Prática de RAM: *o Exercício da Semente*.

– Fá-lo agora pela primeira vez – disse. Encostei a minha cabeça entre os joelhos, respirei fundo e comecei a relaxar. O meu corpo obedeceu com docilidade – talvez porque tínhamos andado muito durante o dia e devia estar exausto. Comecei a escutar o barulho da terra, um barulho surdo, rouco, e aos poucos fui-me transformando na semente. Não pensava. Tudo estava escuro e eu estava adormecido no fundo da terra. De repente, alguma coisa se moveu. Era uma parte de mim, uma minúscula parte de mim que queria despertar-me, que dizia que eu tinha de sair dali porque havia outra coisa «lá em cima». Eu pensava em dormir e esta parte insistia. Começou por mover os meus dedos, e os meus dedos foram movendo os meus braços – mas não eram dedos nem braços, e sim um pequeno rebento que lutava para vencer a força da terra e caminhar em direcção à tal «coisa lá em cima». Senti que o corpo começava a seguir o movimento dos braços. Cada segundo parecia uma eternidade, mas a semente tinha uma coisa «lá em cima» e ela precisava de nascer, precisava de saber o que era. Com uma imensa dificuldade, a cabeça, depois o corpo, começaram a levantar-se. Tudo era lento de mais e eu precisava de lutar contra a força que me empurrava para baixo, em direcção ao fundo da terra, onde antes eu estava tranquilo e a dormir o meu sono eterno. Mas fui vencendo, fui vencendo, e finalmente rompi alguma coisa e já estava direito. A força que me empurrava para baixo, de repente cessou. Eu tinha rompido a terra e estava cercado da tal «coisa lá em cima».

A «coisa lá em cima» era o campo. Senti o calor do Sol, o zumbir dos mosquitos, o barulho de um rio que corria ao longe. Levantei-me devagar, de olhos fechados e, a todo o momento, pensava que iria desequilibrar-me e voltar para a terra, mas no entanto continuava a crescer. Os meus braços foram-se abrindo e o meu corpo esticando. Ali estava eu, a renascer, a querer ser banhado por dentro e por fora por aquele Sol imenso que brilhava e que me pedia para crescer mais, esticar mais, para abraçá-lo com todos os meus ramos. Fui retesando cada vez mais os braços, os músculos de todo o corpo começaram a doer, e senti que tinha mil metros de altura, e que podia abraçar muitas montanhas. E o corpo foi-se expandindo, expandindo, até que a dor muscular se tornou tão intensa que não aguentei mais e dei um grito.

Abri os olhos, e Petrus estava diante de mim, a sorrir e a fumar um cigarro. A luz do dia ainda não tinha desaparecido, mas fiquei surpreendido ao perceber que não fazia o sol que eu tinha imaginado. Perguntei se ele queria que lhe descrevesse as sensações, e ele disse que não.

O Exercício da Semente

Ajoelha-te no chão. Depois senta-te nos calcanhares e dobra o corpo, de modo que a cabeça toque nos joelhos. Estica os braços para trás. Estás numa posição fetal. Agora relaxa e esquece todas as tensões. Respira calma e profundamente. Aos poucos vais percebendo que és uma minúscula semente, cercada pelo conforto da terra. Tudo está quente e gostoso ao teu redor. Dorme um sono tranquilo. De repente, um dedo move-se. O rebento já não quer ser semente, ele quer nascer. Lentamente começas a mover os braços, e depois o teu corpo irá erguer-se, erguer-se, até que estarás sentado nos teus calcanhares. Agora começas a levantar-te, e lentamente lentamente, estarás erecto e de joelhos no chão. Durante todo este tempo imagina que és uma semente a transformar-se em rebento e a romper pouco a pouco a terra.

Chegou o momento de romper a terra por completo. Vai-te levantando lentamente, colocando um pé no chão, depois o outro, lutando contra o desequilíbrio como um rebento luta para encontrar o seu espaço. Até ficares em pé. Imagina o campo ao teu redor, o Sol, a água, o vento e os pássaros. És um rebento que começa a crescer. Levanta, devagar, os braços, em direcção ao céu. Depois vai-te esticando cada vez mais, cada vez mais, como se quisesses agarrar o Sol imenso que brilha sobre ti e te dá forças, e te atrai. O teu corpo começa a ficar cada vez mais rígido, os teus músculos retesam-se todos, enquanto te sentes crescer, crescer, crescer, e tornares-te imenso. A tensão vai aumentando cada vez mais, até se tornar dolorosa, insuportável. Quando não aguentares mais, dá um grito e abre os olhos.

Repete este exercício sete dias seguidos, sempre à mesma hora.

– Elas são uma coisa muito pessoal, e deves guardá-las para ti mesmo. Como poderia eu julgá-las? Elas são as tuas, não as minhas.

Petrus disse que íamos dormir ali mesmo. Fizemos uma pequena fogueira, bebemos o que restava da garrafa de vinho dele, e eu preparei algumas sanduíches com um *patê de foie-gras* que tinha comprado antes de chegar a Saint-Jean. Petrus foi até ao riacho que corria perto e trouxe alguns peixes, que assou na fogueira. Depois, cada qual deitou-se no seu saco de dormir.

Dentre as grandes sensações que experimentei na minha vida, não posso esquecer-me daquela primeira noite no Caminho de Santiago. Fazia frio, apesar do Verão, mas eu tinha ainda na boca o gosto do vinho que Petrus tinha trazido. Olhei para o céu e a Via Láctea estendia-se sobre mim, mostrando o imenso caminho que devíamos cruzar. Outrora, esta imensidão dar-me-ia uma grande angústia, um medo terrível de que não seria capaz de conseguir, de que era pequeno de mais para isso. Mas hoje eu era uma semente e tinha nascido de novo. Tinha descoberto que, apesar do conforto da terra e do sono que eu dormia, era muito mais bela a vida «lá em cima». E eu podia nascer sempre, quantas vezes quisesse, até que os meus braços fossem suficientemente grandes para poder abraçar a terra de onde tinha vindo.

O CRIADOR E A CRIATURA

Durante seis dias caminhámos pelos Pirenéus, a subir e a descer montanhas, com Petrus a pedir-me para realizar o exercício da semente cada vez que os raios de Sol iluminavam apenas os picos mais altos. No terceiro dia da caminhada, um marco de cimento pintado de amarelo indicava que tínhamos cruzado a fronteira e, a partir dali, os nossos pés pisavam terra espanhola. Petrus, pouco a pouco, começou a revelar algumas coisas da sua vida particular; descobri que era italiano e que trabalhava em desenho industrial*. Perguntei se não estava preocupado com as muitas coisas que devia ter sido forçado a deixar para guiar um peregrino em busca da sua espada.

– Quero explicar-te uma coisa – respondeu ele. – Eu não estou a guiar-te até à tua espada. Cabe única e exclusivamente a ti encontrá-la. Eu estou aqui para conduzir-te através do Caminho de Santiago e ensinar-te as Práticas de RAM. Como aplicarás isto para encontrares a tua espada, é problema teu.

---

* Colin Wilson afirma que não existem coincidências neste mundo, e eu mais uma vez pude confirmar a veracidade desta afirmação. Estava certa tarde a folhear algumas revistas no *hall* do hotel onde me hospedei em Madrid, quando uma reportagem sobre o Prémio Príncipe de Astúrias me chamou a atenção, porque um jornalista brasileiro, Roberto Marinho, tinha sido um dos premiados. Ao prestar mais atenção à foto do banquete, porém, apanhei um susto: numa das mesas, elegante no seu *smoking*, estava Petrus, descrito na legenda como "um dos mais famosos *designers* europeus do momento".

– Não respondeste à minha pergunta.

– Quando viajas, estás a experimentar de uma maneira muito prática o acto de Renascer. Estás diante de situações completamente novas, o dia passa mais devagar e na maior parte das vezes não compreendes a língua que as pessoas estão a falar. Exactamente como uma criança que acabou de sair do ventre materno. Com isso, passas a dar muito mais importância às coisas que te cercam, porque delas depende a tua própria sobrevivência. Passas a ser mais acessível às pessoas, porque elas poderão ajudar-te em situações difíceis. E recebes qualquer pequeno favor dos deuses com uma grande alegria, como se isso fosse um episódio para ser lembrado pelo resto da vida.

»Ao mesmo tempo, como todas as coisas são novas, enxergas apenas a beleza delas, e ficas mais feliz em estar vivo. Por isso a peregrinação religiosa sempre foi uma das maneiras mais objectivas de se conseguir chegar à iluminação. A palavra *pecado* vem de *pecus*, que significa pé defeituoso, pé incapaz de percorrer um caminho. A maneira de se corrigir o pecado é andar sempre em frente, adaptando-se às situações novas e recebendo em troca todos os milhares de bênçãos que a vida dá com generosidade aos que lhas pedem.

– Achas que eu poderia estar preocupado com meia dúzia de projectos que deixei de realizar para estar contigo aqui?

Petrus olhou em volta e eu acompanhei os seus olhos. No alto de uma montanha, algumas cabras pastavam. Uma delas, mais ousada, estava sobre uma pequena saliência de uma rocha altíssima, e eu não entendia como tinha lá chegado e como poderia sair dali. Mas no momento em que pensei isto, a cabra saltou e, tocando em pontos invisíveis aos meus olhos, voltou para junto das suas companheiras. Tudo em volta reflectia uma paz nervosa, a paz de um mundo que ainda tinha muito para crescer e criar, e que sabia que para isso era preciso continuar caminhando, sempre caminhando. Mesmo que um terramoto grande ou uma tempestade assassina, às vezes, me desse a sensação de que a natureza era cruel, percebi que estas eram as vicissitudes do Caminho. Também a natureza viajava, em busca da iluminação.

– Eu estou muito contente por estar aqui – disse Petrus. – Porque o trabalho que deixei de realizar não conta mais, e os trabalhos que realizarei depois disto vão ser muito melhores.

Quando eu tinha lido a obra de Carlos Castañeda, tinha desejado muito encontrar o velho bruxo índio, D. Juan. Vendo Petrus olhar as montanhas, pareceu-me estar com alguém muito parecido.

Na tarde do sétimo dia chegámos ao alto de um morro, depois de atravessarmos uma floresta de pinheiros. Ali, Carlos Magno tinha orado pela primeira vez em solo espanhol, e um monumento antigo pedia em latim que, por causa deste feito, todos rezassem uma Salve-Rainha. Nós dois fizemos o que o monumento pedia. Depois, Petrus fez com que eu realizasse o exercício da semente pela última vez.

Ventava muito, e fazia frio. Argumentei que ainda era cedo – deviam ser, no máximo, três horas da tarde – mas ele respondeu-me que não discutisse e fizesse exactamente o que ele mandava.

Ajoelhei-me no chão e comecei a realizar o exercício. Tudo correu normalmente até ao momento em que estendi os meus braços e comecei a imaginar o Sol. Quando cheguei a este ponto, com o Sol gigantesco a brilhar à minha frente, senti que estava a entrar num grande êxtase. As minhas memórias de homem começaram lentamente a apagar-se e já não estava a realizar um exercício, tinha-me transformado em árvore. Estava feliz e contente com isso. O Sol brilhava e girava em torno de si mesmo – o que não tinha acontecido em nenhuma vez anterior. Fiquei ali, os ramos estendidos, as folhas sacudidas pelo vento, sem querer nunca mais sair daquela posição. Até que alguma coisa me atingiu e tudo ficou escuro, por uma fracção de segundo.

Abri imediatamente os olhos. Petrus dera-me uma bofetada no rosto e segurava-me pelos ombros.

– Não esqueças os teus objectivos! – disse com raiva. – Não esqueças que ainda tens muito que aprender antes de encontrar a tua espada!

Sentei-me no chão, a tremer por causa do vento gelado.

– Isto acontece sempre? – perguntei.

– Quase sempre – disse ele. – Principalmente com pessoas como tu, que se fascinam pelos detalhes e esquecem o que procuram.

Petrus tirou uma camisola da mochila e vestiu-a. Coloquei por cima da I LOVE NY a minha *T-shirt* sobresselente – jamais tinha pensado que, num Verão que os jornais tinham chamado como «o mais quente da década», pudesse fazer tanto frio assim. As duas *T-shirts* ajudaram a suportar o vento, mas pedi a Petrus que andássemos mais depressa, para poder aquecer-me.

O caminho agora era uma descida bem fácil. Achei que o frio excessivo que sentia era porque nos tínhamos alimentado muito frugalmente, comendo apenas peixes e frutas silvestres*. Ele disse que não, e explicou que o frio era porque tínhamos atingido o ponto mais alto da caminhada nas montanhas.

Não tínhamos andado mais de quinhentos metros quando, numa curva do caminho, o mundo de repente mudou. Uma gigantesca planície ondulada estendia-se à nossa frente. E à esquerda, no caminho de descida, a menos de duzentos metros de nós, uma bonita cidadezinha esperava-nos, com as suas chaminés fumegando.

Comecei a andar mais rápido, mas Petrus deteve-me.

– Acho que é o melhor momento de ensinar-te a SEGUNDA PRÁTICA DE RAM – disse, sentando-se no chão e indicando-me para fazer o mesmo.

Sentei-me a contragosto. A visão da pequena cidade com as suas chaminés a fumegar tinha-me perturbado bastante. De repente, dei-me conta de que estávamos há uma semana no meio do mato, sem ver ninguém, a dormir ao relento e a andar o dia inteiro. Os meus cigarros tinham acabado e era obrigado a fumar o horrível tabaco que Petrus utilizava. Dormir dentro de um saco e comer peixe sem tempero eram coisas de que gostava muito quando tinha vinte anos, mas que ali, no Caminho de Santiago, exigiam muita resignação. Esperei impaciente

---

* Há uma fruta vermelha, de que não sei o nome, mas que só de vê-la hoje me causa enjoo, de tanto que a comi, na passagem dos Pirenéus.

que Petrus acabasse de preparar e fumar o seu cigarro em silêncio, enquanto sonhava com o calor de um copo de vinho no bar que podia ver, a menos de cinco minutos de caminhada.

Petrus, bem agasalhado na sua camisola, estava tranquilo, e olhava distraído a imensa planície.

– Que tal a travessia dos Pirenéus? – perguntou, ao fim de algum tempo.

– Muito boa – respondi sem querer prolongar a conversa.

– Deve ter sido muito boa mesmo, porque demorámos seis dias para fazer o que podia ter sido feito em apenas um.

Não acreditei no que ele dizia. Ele pegou no mapa e mostrou-me a distância: 17 km. Mesmo andando devagar por causa das subidas e descidas, aquele caminho podia ter sido feito em seis horas.

– Estás tão obcecado em chegar até à tua espada que esqueceste a coisa mais importante: é preciso caminhar até ela. Olhando fixamente para Santiago – que não podes ver daqui – não reparaste que passámos por determinados lugares quatro ou cinco vezes seguidas, mas em ângulos diferentes.

Agora que Petrus falava, comecei a dar-me conta de que o Monte Itchasheguy – o mais alto da região – às vezes estava à minha direita e outras vezes à minha esquerda. Mesmo tendo reparado nisso, na ocasião, não tinha chegado à única conclusão possível: tínhamos ido e voltado muitas vezes.

– A única coisa que fiz foi utilizar rotas diferentes, aproveitando as trilhas abertas na mata por contrabandistas. Mas, mesmo assim, terias a obrigação de ter percebido.

»Isto aconteceu, porque o teu acto de caminhar não existia. Existia apenas o teu desejo de chegar.

– E se eu tivesse percebido?

– Teríamos demorado os sete dias de qualquer maneira, porque assim determinam as Práticas de RAM. Mas, pelo menos, terias aproveitado os Pirenéus de outra forma.

Estava tão surpreendido que me esqueci um pouco do frio e da cidadezinha.

– Quando se viaja em direcção a um objectivo – disse Petrus – é muito importante prestar atenção ao Caminho. O Caminho é que nos ensina sempre a melhor maneira de chegar, e enriquece-nos enquanto o cruzamos. Comparando isto com uma relação sexual, diria que são as carícias preliminares que determinam a intensidade do orgasmo. Qualquer pessoa sabe isso.

»E assim é, quando se tem um objectivo na vida. Ele pode ser melhor ou pior, dependendo do caminho que escolhemos para atingi-lo, e da maneira como cruzamos esse caminho. Por isso, a SEGUNDA PRÁTICA DE RAM é tão importante: tirar daquilo que estamos acostumados a olhar todos os dias os segredos que, por causa da rotina, não conseguimos ver.

E Petrus ensinou-me *o EXERCÍCIO DA VELOCIDADE*.

– Nas cidades, no meio dos nossos afazeres diários, este exercício deve ser executado em vinte minutos. Mas como estamos a cruzar o Estranho Caminho de Santiago, vamos demorar uma hora para chegar à cidade.

O frio – que eu já esquecera – voltou, e eu olhei com desespero para Petrus. Mas ele não prestou atenção: levantou-se, pegou na mochila, e começámos a caminhar aqueles duzentos metros numa lentidão desesperadora.

No começo eu olhava apenas a taberna, um prediozinho antigo, de dois andares, com um letreiro em madeira pendurado por cima da porta. Estávamos tão perto que eu até podia ler a data em que o prédio fora construído: 1652. Estávamo-nos a mover, mas parecia que não tínhamos saído do lugar. Petrus colocava um pé adiante do outro com a máxima lentidão, e eu imitava-o. Tirei da mochila o relógio e coloquei-o no pulso.

– Vai ser pior assim – disse ele – porque o tempo não é algo que corra sempre no mesmo ritmo. Nós é que determinamos o ritmo do tempo.

Comecei a olhar o relógio a todo o momento e achei que ele tinha razão. Quanto mais olhava, mais os minutos custavam a passar. Resolvi seguir o seu conselho e enfiei o relógio no bolso. Procurei prestar atenção à paisagem, à planície, às pedras que os meus sapatos pisavam, mas a todo o momento olhava para a taberna – e convencia-me de que não tinha saído do lugar. Pensei em contar mentalmente algumas histórias a mim mesmo, mas aquele exercício estava a deixar-me tão nervoso que não conseguia concentrar-me. Quando não resisti e tirei de novo o relógio do bolso, tinham passado apenas onze minutos.

O Exercício da Velocidade

Caminha durante vinte minutos, a metade da velocidade a que costumas normalmente andar. Presta atenção a todos os detalhes, pessoas e paisagens que estão à tua volta. A hora mais indicada para este exercício é após o almoço.

Repete o exercício durante sete dias.

– Não faças deste exercício uma tortura, porque ele não foi feito para isso – disse Petrus. – Procura tirar prazer de uma velocidade à qual não estás acostumado. Mudando a maneira de fazer coisas rotineiras, permites que um novo homem cresça dentro de ti. Mas, enfim, tu és quem decide.

A gentileza da frase final acalmou-me um pouco. Se era eu quem decidia o que fazer, então era melhor tirar proveito da situação. Respirei fundo e evitei pensar. Despertei em mim um estado esquisito, como se o tempo fosse algo distante e que não me interessasse. Fui-me acalmando cada vez mais e comecei a observar com outros olhos as coisas que me cercavam. A imaginação, que estava rebelde enquanto eu estava tenso, passou a funcionar a meu favor. Olhava a cidadezinha à minha frente e começava a criar toda uma história a seu respeito: como tinha sido construída, os peregrinos que por ali tinham passado, a alegria de encontrar gente e hospedagem depois do vento frio dos

Pirenéus. Em determinado momento julguei ver na cidade uma presença forte, misteriosa e sábia. A minha imaginação encheu a planície de cavaleiros e de combates. Podia ver as suas espadas a reluzir ao sol e ouvir os seus gritos de guerra. A cidadezinha já não era apenas um lugar para aquecer a minha alma com vinho e o meu corpo com um cobertor: era um marco histórico, uma obra de homens heróicos, que tinham deixado tudo para se instalarem naqueles ermos. O mundo estava ali, a cercar-me, e eu percebi que muito poucas vezes lhe prestara atenção.

Quando me dei conta, estávamos à porta da taberna e Petrus convidou-me a entrar.

– Eu pago o vinho – disse ele. – E vamos dormir cedo porque amanhã preciso de apresentar-te a um grande bruxo.

Dormi um sono pesado e sem sonhos. Assim que o dia começou a estender-se pelas duas únicas ruas da cidadezinha de Roncesvalles, Petrus bateu à porta do meu quarto. Estávamos hospedados no andar superior da taberna, que também servia de hotel.

Tomámos café, pão com azeite, e saímos. Uma neblina densa pairava sobre o local. Percebi que Roncesvalles não era exactamente uma cidadezinha, como eu tinha pensado a princípio; na época das grandes peregrinações pelo Caminho, ela fora o mais poderoso mosteiro da região, com interferência directa em territórios que iam até à fronteira de Navarra. E ainda guardava estas características: os seus poucos prédios faziam parte de uma colegiada de religiosos. A única construção de características «leigas» era a taberna onde nos tínhamos hospedado.

Caminhámos pela neblina e entrámos na Igreja Colegial. Lá dentro, paramentados de branco, vários padres rezavam em conjunto a primeira missa da manhã. Percebi que era incapaz de entender uma palavra, pois a missa estava a ser rezada em basco. Petrus sentou-se num dos bancos mais afastados e pediu-me que ficasse ao seu lado.

A igreja era imensa, cheia de objectos de arte de valor incalculá-vel. Petrus explicou-me baixinho que tinha sido construída com doa-ções de reis e rainhas de Portugal, Espanha, França e Alemanha, num sítio previamente marcado pelo imperador Carlos Magno. No altar--mor, a Virgem de Roncesvalles – toda em prata maciça e com o rosto em madeira preciosa – tinha nas mãos um ramo de flores feito de pedrarias. O cheiro de incenso, a construção gótica, os padres vestidos de branco e os seus cânticos começaram a deixar-me num estado muito semelhante aos transes que eu experimentava durante os rituais da Tradição.

– E o bruxo? – perguntei, ao lembrar-me do que ele tinha dito na tarde anterior.

Petrus apontou com um gesto de cabeça para um padre de meia--idade, magro e de óculos, sentado junto de outros monges nos com-pridos bancos que ladeavam o altar-mor. Um bruxo e ao mesmo tempo um padre! Desejei que a missa acabasse logo, mas como Petrus me tinha dito no dia anterior, somos nós que determinamos o ritmo do tempo: a minha ansiedade fez com que a cerimónia religiosa demo-rasse mais de uma hora.

Quando a missa acabou, Petrus deixou-me sozinho no banco e retirou-se pela porta por onde os padres tinham saído. Fiquei algum tempo a olhar a igreja, a sentir que devia fazer algum tipo de oração, mas não consegui concentrar-me em nada. As imagens pareciam dis-tantes, presas num passado que não voltaria mais, como jamais vol-taria a época de ouro do Caminho de Santiago.

Petrus apareceu à porta e, sem qualquer palavra, fez-me sinal para que o seguisse.

Chegámos a um jardim interior do convento, cercado por uma varanda de pedra. No centro do jardim havia uma fonte e, sentado na sua borda, esperava-nos o tal padre de óculos.

– Padre Expedito, este é o peregrino – disse Petrus apresentan-do-me.

O padre estendeu-me a mão e eu cumprimentei-o. Ninguém disse mais nada. Aguardei que alguma coisa acontecesse, mas só escutava o ruído de galos a cantar ao longe e gaviões a sair em busca da caça diária. O padre olhava-me sem qualquer expressão, um olhar muito parecido ao de Mme. Christine assim que eu disse a Palavra Antiga.

Finalmente, depois de um longo e constrangedor silêncio, o padre Expedito falou.

– Parece que galgou os degraus da Tradição cedo de mais, meu caro.

Respondi que já tinha 38 anos, e tinha sido bem sucedido em todas as ordálias*.

– Menos uma, a última e a mais importante – disse ele, continuando a fitar-me de modo inexpressivo. – E sem essa, tudo o que aprendeu não significa nada.

– É por isso que estou a fazer o Caminho de Santiago.

– O que não é uma garantia de nada. Venha comigo.

Petrus ficou no jardim e eu segui o Padre Expedito. Cruzámos os claustros, passámos pelo local onde estava enterrado um rei – Sancho El Fuerte – e fomos parar a uma pequena capela, retirada do grupo de edifícios principais que compunham o mosteiro de Roncesvalles.

Lá dentro não havia quase nada. Apenas uma mesa, um livro e uma espada. Mas não era a minha.

O Padre Expedito sentou-se atrás da mesa, deixando-me de pé. Depois pegou nalgumas ervas e ateou-lhes fogo, enchendo o ambiente de perfume. Cada vez mais, a situação me lembrava o encontro com Mme. Christine.

– Primeiro, vou alertá-lo – disse o Padre Expedito. – A Rota Jacobeia é apenas um dos quatro caminhos. É o Caminho da Espada. Ele pode trazer-lhe Poder, mas isso não é o suficiente.

– Quais são os outros três?

---

* Ordálias são provas rituais, onde vale não apenas a dedicação do discípulo, mas os presságios que surgem durante a sua execução. O termo é originário da época do Santo Ofício (Inquisição).

– Conhece pelo menos mais dois: o Caminho de Jerusalém, que é o caminho de Copas, ou do Graal, que lhe dará a capacidade de fazer milagres; e o Caminho de Roma, o caminho de Paus, que lhe permitirá a comunicação com os outros mundos.

– Fica a faltar o caminho de Ouros, para completar os quatro naipes do baralho – brinquei eu. E o Padre Expedito riu.

– Exactamente. Esse é o caminho secreto que, se algum dia realizar, não poderá contar a ninguém. Por enquanto vamos deixar isso de lado. Onde estão as suas vieiras?

Abri a mochila e tirei as conchas com a imagem de N. Sra. Aparecida. Ele colocou-as sobre a mesa. Estendeu as mãos sobre elas e começou a concentrar-se. Pediu-me que fizesse o mesmo. O perfume no ar era cada vez mais intenso. Tanto o padre como eu estávamos de olhos abertos, e de repente pude perceber que estava a acontecer o mesmo fenómeno que tinha visto em Itatiaia: as conchas brilhavam com uma luz que não ilumina. O brilho foi ficando cada vez mais intenso, e ouvi uma voz misteriosa, da garganta do padre Expedito, dizer:

– Onde estiver o teu tesouro, aí estará o teu coração. – Era uma frase da *Bíblia*. Mas a voz continuou:

– E onde estiver o teu coração, aí estará o berço da Segunda Vinda de Cristo; como estas conchas, o peregrino na Rota Jacobeia é apenas a casca. Rompendo-se a casca, que é a Vida, aparece a Vida, que é feita de Ágape.

Ele retirou as mãos e as conchas pararam de brilhar. Depois escreveu o meu nome no livro que estava em cima da mesa. Em todo o caminho de Santiago, vi apenas três livros onde o meu nome foi escrito: o de Mme. Christine, o do Padre Expedito, e o livro do Poder, onde mais tarde eu mesmo iria escrever o meu nome.

– Acabámos – disse ele. – Pode partir com a bênção da Virgem de Roncesvalles e de Santiago da Espada.

– A Rota Jacobeia está marcada por pontos amarelos, pintados através de toda a Espanha – disse o padre, enquanto voltávamos para o lugar onde tinha ficado Petrus. – Se em algum momento se perder, procure essas marcas – nas árvores, nas pedras, nos marcos de sinalização – e será capaz de encontrar um lugar seguro.

– Eu tenho um bom guia.

– Mas procure contar, principalmente, consigo mesmo. Para não ficar indo e voltando durante seis dias pelos Pirenéus.

Então o padre já sabia da história.

Chegámos ao pé de Petrus e despedimo-nos. Saímos de Roncesvalles de manhã, e a neblina já tinha desaparecido por completo. Um caminho recto e plano estendia-se à nossa frente, e comecei a reparar nas marcas amarelas de que o Padre Expedito havia falado. A mochila estava um pouco mais pesada porque tinha comprado uma garrafa de vinho na taberna, apesar de Petrus me dizer que isso era desnecessário. A partir de Roncesvalles, centenas de cidadezinhas iriam estender-se pelo caminho e muito poucas vezes iria dormir ao relento.

– Petrus, o Padre Expedito falou da Segunda Vinda de Cristo como se fosse algo que estivesse a acontecer.

– E está! Está sempre a acontecer, e esse é o segredo da tua espada.

– Além disso, disseste-me que eu ia encontrar-me com um bruxo e encontrei-me com um padre. O que tem a ver a Magia com a Igreja Católica?

Petrus disse apenas uma palavra.

–Tudo.

A CRUELDADE

– Ali, exactamente naquele local, o Amor foi assassinado – disse o velho camponês, apontando para uma pequena ermida encravada nas rochas.

Tínhamos caminhado durante cinco dias seguidos, parando apenas para comer e dormir. Petrus continuava bastante reservado sobre a sua vida particular, mas indagava muito sobre o Brasil e sobre o meu trabalho. Disse que gostava muito do meu país, porque a imagem que ele mais conhecia era o Cristo Redentor no Corcovado, de braços abertos, e não torturado numa cruz. Queria saber tudo e volta e meia perguntava-me se as mulheres eram tão bonitas como as daqui. O calor durante o dia era quase insuportável, e em todos os bares e cidadezinhas aonde chegávamos, as pessoas queixavam-se da seca. Por causa do calor, deixámos de andar entre as duas e as quatro horas da tarde – quando o Sol estava mais quente – e adaptámo-nos ao costume espanhol da *siesta*.

Naquela tarde, enquanto descansávamos no meio de um olival, um velho camponês tinha-se aproximado e tinha-nos oferecido um golo de vinho. Mesmo com o calor, o hábito do vinho fazia parte há séculos da vida dos habitantes daquela região.

– E porque é que o Amor foi assassinado ali? – perguntei, já que o velho estava a querer entabular conversa.

– Há muitos séculos, uma princesa que fazia o Caminho de Santiago, Felícia de Aquitânia, resolveu renunciar a tudo e ficar a morar aqui, quando voltou de Compostela. Era o verdadeiro Amor, porque dividiu os seus bens com os pobres da região e cuidava dos enfermos. Petrus tinha acendido um dos seus horríveis cigarros de tabaco de enrolar, mas, apesar do seu ar indiferente, percebi que estava a prestar atenção à história do velho.

– Então seu irmão, o Duque Guillermo, foi mandado pelo pai para a levar de volta. Mas Felícia recusou. Desesperado, o duque apunhalou-a dentro da pequena ermida que se vê ao longe, e que ela construíra com as próprias mãos, para cuidar dos pobres e louvar a Deus.

»Assim que caiu em si e percebeu o que tinha feito, o Duque foi a Roma pedir perdão ao Papa. Como penitência, o Papa obrigou-o a peregrinar até Compostela. Foi então que algo curioso aconteceu: na volta, ao chegar aqui, ele sentiu o mesmo impulso e ficou a morar na ermida que a irmã tinha construído, cuidando dos pobres até aos últimos dias da sua longa vida.

– Essa é a Lei do Retorno – riu Petrus. O camponês não entendeu o comentário, mas eu sabia exactamente o que ele estava a dizer. Enquanto andávamos, tínhamo-nos envolvido em longas discussões teológicas sobre a relação de Deus com os homens. Eu tinha argumentado que na Tradição existe sempre um envolvimento com Deus, mas o caminho era completamente distinto daquele que estávamos a seguir na Rota Jacobeia – com padres bruxos, ciganos endemoninhados e santos milagreiros. Tudo aquilo parecia-me muito primitivo, demasiado ligado ao cristianismo, e sem o fascínio e o êxtase que os Rituais da Tradição eram capazes de provocar em mim. Petrus dizia sempre que o Caminho de Santiago é um caminho por onde qualquer pessoa pode passar, e só um Caminho deste tipo pode levar até Deus.

– Achas que Deus existe e eu também acho – tinha dito Petrus. – Então, Deus existe para nós. Mas se alguém não crê nele, ele não deixa de existir, mas nem por isso a pessoa que não crê está errada.

– Então Deus está limitado ao desejo e ao poder do homem?

– Certa vez tive um amigo que passava a vida bêbado, mas que rezava todas as noites três Avé-Marias porque a sua mãe o tinha habituado desde pequenino. Mesmo quando chegava a casa na maior embriaguez, mesmo sem acreditar em Deus, esse meu amigo rezava sempre as três Avé-Marias. Quando morreu, num Ritual da Tradição, perguntei ao espírito dos Antigos onde estava este meu amigo. O espírito dos Antigos respondeu que ele estava muito bem, cercado de luz. Sem ter tido fé durante a vida, a sua obra – que consistia apenas nas três orações rezadas por obrigação e automaticamente – tinha-o salvo.

»Deus já esteve presente nas cavernas e nos trovões dos nossos antepassados; depois que o homem descobriu que estas coisas eram fenómenos naturais, ele passou a habitar nalguns animais e bosques sagrados. Houve uma época em que existiu apenas nas catacumbas das grandes cidades da História Antiga. Mas durante todo este tempo ele não deixou de fluir no coração do homem sob a forma de Amor.

»Hoje em dia, Deus é apenas um conceito, quase provado cientificamente. Mas quando chega a este ponto, a História dá uma volta e começa tudo de novo. A Lei do Retorno. Quando o Padre Expedito citou a frase de Cristo, dizendo que onde estivesse o teu tesouro também aí estaria o teu coração, estava a referir-se exactamente a isso. Onde alguém desejar ver a face de Deus, vê-la-á. E se não quiser vê-la, isso não faz a mínima diferença, desde que a sua obra seja boa. Quando Felícia de Aquitânia construiu a ermida e passou a ajudar os pobres, ela esqueceu o Deus do Vaticano, e passou a manifestá-lo na sua maneira mais primitiva e mais sábia: o Amor. Neste ponto, o camponês tem toda a razão em dizer que o Amor foi assassinado.

O camponês, aliás, estava muito pouco à vontade, incapaz de acompanhar a nossa conversa.

– A Lei do Retorno funcionou quando o irmão dela foi forçado a continuar a obra que ela tinha interrompido. Tudo é permitido, menos interromper uma manifestação de Amor. Quando isto acontece, quem tentou destruir é obrigado a reconstruir de novo.

Expliquei que no meu país a Lei do Retorno dizia que as deformidades e as doenças dos homens eram castigos por erros cometidos em reencarnações passadas.

– Tolice – disse Petrus. – Deus não é vingança, Deus é Amor. A sua única punição consiste em obrigar alguém que interrompeu uma obra de Amor a continuá-la.

O camponês pediu licença, disse que se fazia tarde e que precisava de voltar ao trabalho. Petrus achou um bom pretexto para levantarmo--nos e continuar a caminhada.

– Isto é deitar as palavras fora – disse ele enquanto seguíamos pelo campo de oliveiras. – Deus está em tudo que nos cerca, e deve ser pressentido, vivido, e eu estou aqui a tentar transformá-lo num problema de lógica para que tu compreendas. Continua fazendo o exercício de andar devagar, e irás tomar conhecimento, cada vez mais, da presença dele.

Dois dias depois tivemos que subir um monte chamado Alto do Perdão. A subida demorou várias horas e, quando chegámos lá acima, vi uma cena que me chocou; um grupo de turistas, com o rádio dos carros a todo o volume, tomava banho de sol e bebia cervejas. Tinha aproveitado uma estrada vicinal que levava ao alto do monte.

– É assim mesmo – disse Petrus. – Ou achavas que ias encontrar aqui em cima um dos guerreiros de El Cid a vigiar o próximo ataque dos mouros?

Enquanto descíamos, realizei pela última vez o EXERCÍCIO DA VELOCIDADE. Estávamos diante de mais uma planície imensa, ladeada por montes azulados e com uma vegetação rasteira queimada pela seca. Não havia quase árvores, apenas um terreno pedregoso com alguns espinheiros. No final do exercício, Petrus perguntou-me alguma coisa sobre o meu trabalho, e só então me dei conta que há muito tempo não pensava nisso. As minhas preocupações com os negócios, com o que tinha deixado por fazer, tinham praticamente deixado de existir. Só me lembrava dessas coisas à noite, e mesmo assim não lhes dava muita importância. Estava contente de estar ali, a fazer o Caminho de Santiago.

– Qualquer dia vais fazer o mesmo que Felícia de Aquitânia – brincou Petrus, quando comentei com ele o que estava a sentir. Depois parou e pediu-me que pousasse a mochila no chão.

– Olha em volta e fixa a tua visão num ponto qualquer – disse. Eu escolhi a cruz de uma igreja que conseguia ver ao longe.

– Mantém os teus olhos fixos nesse ponto, e procura concentrar-te apenas no que te vou dizer. Mesmo que sintas qualquer coisa diferente, não te distraias. Faz como estou a dizer.

Fiquei em pé, descontraído, com os olhos fixos na torre, enquanto Petrus se colocava por detrás de mim e comprimia um dedo na base da minha nuca.

– O caminho que estás a fazer é o Caminho do Poder, e só os exercícios de Poder te serão ensinados. A viagem, que antes era uma tortura porque querias apenas chegar, agora começa a transformar-se num prazer, no prazer da busca e da aventura. Com isso estás a alimentar uma coisa muito importante, que são os teus sonhos.

»O homem nunca pode parar de sonhar. O sonho é o alimento da alma, como a comida é o alimento do corpo. Muitas vezes, na nossa existência, vemos os nossos sonhos desfeitos e os nossos desejos frustrados, mas é preciso continuar a sonhar, senão a nossa alma morre e a Ágape não penetra nela. Muito sangue já correu no campo diante dos teus olhos, e aí foram travadas algumas das batalhas mais cruéis da Reconquista. Quem estava com a razão, ou com a verdade, não tem importância: o importante é saber que ambos os lados estavam a travar o Bom Combate.

»O Bom Combate é aquele que é travado porque o nosso coração pede. Nas épocas heróicas, no tempo dos cavaleiros andantes, isso era fácil. Havia muita terra para conquistar e muita coisa para fazer. Hoje em dia, porém, o mundo mudou muito, e o Bom Combate foi transferido dos campos de batalha para dentro de nós mesmos.

»O Bom Combate é aquele que é travado em nome dos nossos sonhos. Quando eles explodem em nós com todo o seu vigor – na juventude – nós temos muita coragem, mas ainda não aprendemos a lutar. Depois de muito esforço, acabamos por aprender a lutar, e então já não temos a mesma coragem para combater. Por causa disso, voltamo-nos contra nós e combatemo-nos a nós mesmos, e passamos a ser o nosso pior inimigo. Dizemos que os nossos sonhos eram infantis, difíceis de realizar, ou fruto do nosso desconhecimento das realidades da vida. Matamos os nossos sonhos porque temos medo de travar o Bom Combate.

A pressão do dedo de Petrus na minha nuca tornou-se mais intensa. Julguei que a torre da igreja se transformava – o contorno da cruz estava a parecer um homem de asas. Um anjo. Pisquei os olhos e a cruz voltou a ser o que era.

– O primeiro sintoma de que estamos a matar os nossos sonhos é a falta de tempo – continuou Petrus. – As pessoas mais ocupadas que conheci na minha vida tinham sempre tempo para tudo. As que nada faziam estavam sempre cansadas, não davam conta do pouco trabalho que precisavam de realizar, e queixavam-se constantemente que o dia era curto de mais. Na verdade, elas tinham medo de travar o Bom Combate.

»O segundo sintoma da morte dos nossos sonhos são as nossas certezas. Porque não queremos olhar a vida como uma grande aventura a ser vivida, passamos a julgar-nos sábios, justos e correctos no pouco que pedimos da existência. Olhamos para além das muralhas do nosso dia-a-dia e ouvimos o ruído de lanças que se quebram, o cheiro de suor e de pólvora, as grandes quedas e os olhares sedentos de conquista dos guerreiros. Mas nunca percebemos a alegria, a imensa Alegria que está no coração de quem luta, porque para estes não importa nem a vitória nem a derrota, importa apenas travar o Bom Combate.

»Finalmente, o terceiro sintoma da morte dos nossos sonhos é a Paz. A vida passa a ser uma tarde de Domingo, sem nos pedir grandes coisas, e sem exigir mais do que queremos dar. Achamos então que estamos maduros, deixamos de lado as fantasias da infância, e conseguimos a nossa realização pessoal e profissional. Ficamos surpreendidos quando alguém da nossa idade diz que quer ainda isto ou aquilo da vida. Mas na verdade, no íntimo do nosso coração, sabemos que o que aconteceu foi que renunciámos à luta pelos nossos sonhos, renunciámos a travar o Bom Combate.

A torre da igreja transformava-se a toda a hora, e em seu lugar parecia surgir um anjo, com asas abertas. Por mais que eu piscasse os olhos, a figura permanecia lá. Tive vontade de falar com Petrus, mas senti que ele ainda não tinha acabado.

– Quando renunciamos aos nossos sonhos e encontramos a paz – disse ele depois de algum tempo – temos um pequeno período de tranquilidade. Mas os sonhos mortos começam a apodrecer dentro de nós, e a infestar todo o ambiente em que vivemos. Começamos a tornar-nos cruéis com aqueles que nos cercam, e finalmente passamos a dirigir esta crueldade contra nós mesmos. Surgem as doenças e as psicoses. O que queríamos evitar no combate – a decepção e a derrota – passa a ser o único legado da nossa cobardia. E um belo dia, os sonhos mortos e apodrecidos tornam o ar difícil de respirar e passamos a desejar a morte, a morte que nos livre das nossa certezas, das nossas ocupações, e daquela terrível paz das tardes de Domingo.

Agora tinha a certeza de que estava mesmo a ver um anjo, e já não consegui seguir as palavras de Petrus. Ele deve ter percebido isso, pois tirou o dedo da minha nuca e parou de falar. A imagem do anjo permaneceu por alguns instantes, e depois desapareceu. Em seu lugar, surgiu novamente a torre da igreja.

Ficámos alguns minutos em silêncio. Petrus enrolou um cigarro e começou a fumar. Tirei da mochila uma garrafa de vinho e bebi um gole. Estava quente, mas o sabor continuava o mesmo.

– O que viste? – perguntou ele.

Contei a história do anjo. Disse que no começo, quando piscava os olhos, a imagem desaparecia.

– Também tens que aprender a travar o Bom Combate. Já aprendeste a aceitar as aventuras e os desafios da vida, mas continuas a querer negar o extraordinário. Petrus tirou da mochila um pequeno objecto que me entregou. Era um alfinete de ouro.

– Foi um presente do meu avô. Na Ordem de RAM, todos os Antigos possuíam um objecto como este. Chama-se «o Ponto da Crueldade». Quando viste o anjo aparecer na torre da igreja, quiseste negá-lo. Porque não era uma coisa com a qual estivesses acostumado. Na tua visão do mundo, as igrejas são igrejas e as visões só podem acontecer nos êxtases provocados pelos Rituais da Tradição.

Respondi que a minha visão deve ter sido efeito da pressão que ele exercia na minha nuca.

– Estás certo, mas não muda nada. O facto é que rejeitaste a visão. Felícia de Aquitânia deve ter visto algo semelhante, e apostou toda a sua vida no que viu: o resultado é que transformou a sua obra em Amor. O mesmo deve ter acontecido ao irmão dela. E o mesmo acontece a toda a gente, todos os dias: vemos sempre o melhor caminho a seguir, mas só andamos pelo caminho a que estamos acostumados.

Petrus recomeçou a caminhar, e eu segui-o. Os raios de sol faziam brilhar o alfinete na minha mão.

– A única maneira de salvarmos os nossos sonhos, é sermos generosos connosco mesmos. Qualquer tentativa de autopunição – por mais subtil que seja, deve ser tratada com rigor. Para saber quando estamos a ser cruéis connosco, temos que transformar em dor física qualquer tentativa de dor espiritual: como culpa, remorso, indecisão, cobardia. Transformando uma dor espiritual em dor física, saberemos o mal que ela pode causar-nos.

E Petrus ensinou-me o EXERCÍCIO DA CRUELDADE.

– Antigamente, eles usavam um alfinete de ouro para isso – disse. – Hoje em dia as coisas mudaram, como mudam as paisagens no caminho de Santiago.

Petrus tinha razão. Vista de baixo, a planície parecia uma série de morros à minha frente.

– Pensa em algo cruel que tenhas feito hoje contigo mesmo, e executa o exercício.

Eu não conseguia lembrar-me de nada.

– É sempre assim. Só conseguimos ser generosos connosco nas poucas vezes que precisamos de ser severos.

De repente lembrei-me que me tinha julgado um idiota por subir o Alto do Perdão com tanta dificuldade, enquanto aqueles turistas tinham seguido o caminho mais fácil. Sabia que não era verdade, que eu estava sendo cruel comigo mesmo; os turistas estavam em busca de Sol, e eu estava em busca da minha espada. Eu não era um idiota e bem podia sentir-me como tal. Cravei com força a unha do indicador na raiz da unha do polegar. Senti uma dor intensa, e, enquanto me concentrava na dor, a sensação de que era um idiota passou.

Comentei com Petrus e ele riu sem dizer nada.

Naquela noite ficámos num confortável hotel da tal vila cuja igreja vira de longe. Depois do jantar, resolvemos dar um passeio pelas ruas, para fazer a digestão.

– De todas as maneiras que o homem encontrou para fazer mal a si mesmo, a pior delas foi o Amor. Estamos sempre a sofrer por alguém que não nos ama, por alguém que nos deixou, por alguém que não nos quer deixar. Se estamos solteiros é porque ninguém nos quer, se estamos casados transformamos o casamento em escravidão. Que coisa terrível – completou mal humorado.

Chegámos em frente de uma pequena praça, onde estava a igreja que eu tinha visto. Era pequena, sem grandes sofisticações arquitectónicas, e o seu campanário elevava-se para o céu. Tentei ver de novo o anjo e não consegui nada.

Petrus ficou a olhar a cruz lá em cima. Pensei que estivesse a ver o anjo, mas não: começou logo a falar comigo.

– Quando o Filho do Pai desceu à terra, Ele trouxe o Amor. Mas como a humanidade só consegue entender o amor com sofrimento e sacrifício, acabaram por crucificá-lo. Se não fosse assim, ninguém acreditaria no seu amor, já que todos estavam acostumados a sofrer diariamente com as suas próprias paixões.

Sentámo-nos no passeio e continuámos a olhar a igreja. Mais uma vez foi Petrus quem quebrou o silêncio.

– Sabes o que quer dizer Barrabás, Paulo? Bar quer dizer filho, e *Abba* quer dizer pai.

Ele olhava fixamente para a cruz no campanário. Os seus olhos brilhavam, e senti que estava possuído por alguma coisa, talvez por esse amor do qual falava tanto, mas que eu não conseguia entender bem.

– Como são sábios os desígnios da glória divina! – disse, fazendo com que a sua voz ecoasse pela praça vazia. – Quando Pilatos pediu que o povo escolhesse, na verdade não lhe deu opção. Mostrou um homem flagelado, em pedaços, e outro homem de cabeça erguida, Barrabás, o revolucionário. Deus sabia que o povo ia enviar o mais fraco para a morte, para que ele pudesse provar o seu amor

E concluiu:

–E no entanto, fosse qual fosse a escolha, o Filho do Pai é que acabaria por ser crucificado.

O EXERCÍCIO DA CRUELDADE

Todas as vezes que um pensamento que achas que te faz mal te passar pela cabeça – ciúme, autopiedade, sofrimentos de amor, inveja, ódio, etc. – procede da seguinte maneira:

Crava a unha do indicador na raiz da unha do polegar até que a dor seja bem intensa. Concentra-te na dor: ela reflecte no campo físico o mesmo sofrimento que estás a ter no campo espiritual Afrouxa a pressão só quando o pensamento te sair da cabeça.

Repete quantas vezes for necessário, mesmo que seja uma atrás da outra, até que o pensamento te abandone. De cada vez, o pensamento voltará mais espaçadamente, e desaparecerá por completo, desde que não deixes de cravar a unha toda as vezes que ele voltar.

O MENSAGEIRO

«E aqui, todos os caminhos de Santiago se transformam num só.»

Era de manhã, bem cedinho, quando chegámos a Fuente de La Reina. A frase estava escrita na base de uma estátua – um peregrino em trajes medievais, com o chapéu de três bicos, a capa, as vieiras, o cajado e a cabaça na mão – e recordava a epopeia de uma viagem já quase esquecida, que eu e Petrus revivíamos agora.

Tínhamos passado a noite anterior num dos muitos conventos que se estendiam por todo o Caminho. O Irmão Porteiro, que nos tinha recebido, avisou que não podíamos trocar qualquer palavra dentro dos muros da abadia. Um frade jovem conduziu cada um de nós à sua cela, onde havia estritamente o necessário; uma cama dura, lençóis velhos mas limpos, um jarro de água e uma bacia para a higiene pessoal. Não havia canalização, nem água quente, e o horário das refeições estava marcado atrás da porta.

Na hora indicada, descemos para o refeitório. For causa do voto de silêncio, os monges comunicavam-se apenas com o olhar, e tive a impressão de que os seus olhos brilhavam mais do que os de uma pessoa comum. A ceia foi servida cedo, nas mesas compridas onde nos tínhamos sentado junto dos monges de hábitos castanhos. Do lugar onde estava, Petrus fez-me um sinal e entendi perfeitamente o que queria dizer: estava louco para acender um cigarro, mas pelos vistos ia passar a noite inteira sem satisfazer o seu desejo. O mesmo acontecia comigo, e cravei a unha na raiz do polegar já quase em carne viva. O momento era demasiado belo para cometer qualquer crueldade comigo mesmo.

O jantar foi servido: sopa de legumes, pão, peixe e vinho. Todos rezaram e nós acompanhámos a prece. Depois, enquanto comíamos, um monge leitor dizia em voz monótona trechos de uma epístola de São Paulo.

– Deus escolheu as coisas loucas do mundo para envergonhar os sábios, e escolheu as coisas fracas do mundo para humilhar os fortes – dizia o monge com uma voz fina e sem inflexões. – Nós somos loucos por causa de Cristo. Até agora chegámos a ser considerados o lixo do mundo, a escória de todos. Entretanto o Reino de Deus consiste não em palavras, mas em Poder.

As admoestações de São Paulo aos Coríntios ecoaram durante toda a refeição pelas paredes nuas do refeitório.

Entrámos em Puente de La Reina a conversar sobre os monges da noite anterior. Confessei a Petrus que tinha fumado às escondidas no quarto, morto de medo que alguém sentisse o cheiro do tabaco. Ele riu e percebi que devia ter feito o mesmo.

– São João Baptista foi para o deserto, mas Jesus juntou-se aos pecadores e vivia a viajar – disse. – Prefiro assim.

De facto, afora o tempo passado no deserto, o resto da vida de Cristo foi entre os homens.

– Inclusive, o seu primeiro milagre não foi salvar a alma de alguém, nem curar uma doença ou expulsar um demónio; foi transformar água em vinho excelente num casamento, porque a bebida do dono da casa tinha acabado.

Quando acabou de dizer isto, parou de repente. O seu movimento foi tão brusco que parei também, assustado. Estávamos diante da ponte que dá o nome à cidadezinha. Petrus, porém, não olhava para o caminho que tínhamos que percorrer. Os seus olhos estavam fixos em dois meninos, que brincavam com uma bola de borracha na margem do rio. Deviam ter entre oito e dez anos, e pareciam não ter notado a nossa presença. Em vez de atravessar a ponte, Petrus desceu o barranco e chegou perto dos dois garotos. Eu, como sempre, segui-o sem perguntar nada.

Os meninos continuaram a ignorar a nossa presença. Petrus sentou-se e ficou a acompanhar a brincadeira, até que a bola caiu perto de onde ele estava. Num movimento rápido, pegou na bola e atirou-a para mim. Segurei a bola de borracha no ar e fiquei à espera do que ia acontecer.

Um dos meninos – que parecia o mais velho – aproximou-se. O meu primeiro impulso foi devolver-lhe a bola, mas o comportamento de Petrus tinha sido tão extravagante que resolvi tentar saber o que estava a acontecer.

– Dê-me a bola, senhor – disse o garoto.

Olhei aquela figura pequena, dois metros à minha frente. Percebi que havia algo de familiar no menino, o mesmo sentimento que tinha tido, quando encontrei o cigano.

O garoto insistiu algumas vezes e, vendo que eu não lhe respondia, abaixou-se e pegou numa pedra.

– Dê-me a bola ou eu atiro-lhe esta pedra – disse ele. Petrus e o outro menino observavam-me, em silêncio. A agressividade do garoto irritou-me.

– Atira a pedra – respondi. – Se ela me acertar, vou aí e dou-te uma tareia.

Senti que Petrus respirou aliviado. Alguma coisa começava a querer surgir nos subterrâneos da minha cabeça. Tinha a nítida sensação de que já tinha vivido aquela cena.

O garoto ficou assustado com as minhas palavras. Largou a pedra no chão e tentou de outro modo.

– Aqui em Puente de La Reina existe um relicário que pertenceu a um peregrino muito rico. Vejo pela concha e a mochila que os senhores também são peregrinos. Se devolver a minha bola, eu dou-lhe esse relicário. Ele está escondido na areia, aqui nas margens do rio.

– Eu quero a bola – respondi sem muita convicção. Na verdade, o que queria mesmo era o relicário. O garoto parecia estar a falar a verdade. Mas talvez Petrus precisasse daquela bola para alguma coisa, e eu não podia decepcioná-lo; ele era o meu guia.

– O senhor não precisa dessa bola – disse o garoto, quase com lágrimas nos olhos. – O senhor é forte, viajado, e conhece o mundo. Eu só conheço as margens deste rio e o meu único brinquedo é essa bola. Devolva-me a bola, por favor.

As palavras do garoto tocaram fundo no meu coração. Mas o ambiente estranhamente familiar, a sensação de que já tinha lido ou vivido aquela situação, fez-me resistir mais uma vez.

– Não. Eu preciso desta bola. Vou dar-te dinheiro para comprares outra, mais bonita que esta, mas esta aqui é minha.

Quando acabei de dizer isto, o tempo pareceu parar. A paisagem à minha volta transformou-se, sem que Petrus pressionasse o dedo na base da minha nuca: por uma fracção de segundo, parecia que tínhamos sido transportados a um imenso e aterrorizante deserto cinzento. Ali não estavam nem Petrus nem o outro garoto, apenas eu e o menino à minha frente. Que era mais velho, tinha feições simpáticas e amigas, mas nos seus olhos brilhava alguma coisa que me fazia medo.

A visão não durou mais que um segundo. No momento seguinte eu estava de volta a Fuente de La Reina, onde os muitos caminhos de Santiago, vindos de diversos pontos da Europa, se transformavam num só. Na minha frente, um menino pedia uma bola, e tinha o olhar doce e triste.

Petrus aproximou-se; tirou a bola da minha mão e devolveu-a ao garoto.

– Onde está o relicário escondido? – perguntou ao menino.

– Que relicário? – respondeu o menino, enquanto pegava no seu amigo pela mão e corria para longe de nós, atirando-se à água.

Subimos de novo o barranco e finalmente atravessámos a ponte. Comecei a fazer perguntas sobre o que tinha acontecido, falei da visão do deserto, mas Petrus mudou de assunto e disse que íamos conversar sobre isso quando estivéssemos um pouco longe dali.

Meia hora depois chegámos a um trecho do caminho que ainda conservava vestígios do calcetado romano. Ali havia outra ponte, em ruínas, e sentámo-nos para tomar o pequeno-almoço que nos fora dado pelos monges: pão de centeio, iogurte e queijo de cabra.

– Para que querias a bola do garoto? – perguntou Petrus. Respondi que não queria a bola Que tinha agido assim porque ele, Petrus, se tinha comportado de maneira estranha. Como se a bola fosse algo muito importante para ele.

– E de facto foi. Fez com que travasses um contacto vitorioso com o teu demónio pessoal.

O meu demónio pessoal? Eu nunca tinha ouvido semelhante absurdo em toda aquela caminhada. Tinha passado seis dias a ir e a voltar dos Pirenéus, tinha conhecido um padre bruxo que não tinha feito nenhuma bruxaria, e o meu dedo estava em carne viva porque sempre que pensava em alguma coisa cruel comigo mesmo – hipocondria, sentimento de culpa, complexo de inferioridade – era obrigado a cravar a minha unha na ferida. Neste ponto, Petrus tinha razão: os pensamentos negativos tinham diminuído consideravelmente. Mas esta história do demónio pessoal era algo de que nunca tinha ouvido falar. E em que não ia acreditar com muita facilidade.

– Hoje, antes de atravessarmos a ponte, senti intensamente a presença de alguém, a tentar avisar-nos. Mas o aviso era mais para ti do que para mim. Uma luta aproxima-se rapidamente, e tu precisas de travar o Bom Combate.

»Quando não se conhece o demónio pessoal, ele costuma manifestar-se na pessoa mais próxima. Olhei em volta e vi os meninos a brincar – e deduzi que era ali que ele deveria deixar o seu aviso. Mas eu estava a apostar apenas num palpite. Só tive a certeza de que era o teu demónio pessoal, quando te recusaste a devolver a bola.

Disse que tinha feito isso porque pensava que era isso que ele queria.

– Porquê eu? Eu não disse nada em momento algum.

Comecei a sentir-me um pouco tonto. Talvez fosse da comida, que estava a devorar vorazmente depois de quase uma hora a caminhar em jejum. Ao mesmo tempo, a sensação de que o garoto me era familiar não me saía da cabeça.

– O teu demónio pessoal tentou das três maneiras clássicas: com uma ameaça, com uma promessa e com o teu lado frágil. Os meus parabéns, resististe com bravura.

Agora lembrava-me que Petrus tinha perguntado ao garoto pelo relicário. Na altura eu tinha pensado que o menino tinha tentado enganar-me. Mas devia haver mesmo um relicário ali escondido – um demónio nunca faz promessas falsas.

– O garoto não conseguiu lembrar-se do relicário, porque o teu demónio pessoal já tinha partido.

E disse sem hesitar:

– É altura de lhe pedir que volte. Vais precisar dele.

Estávamos sentados na velha ponte em ruínas. Petrus juntou cuidadosamente os restos da comida, guardando tudo dentro do saco de papel que os monges nos tinham dado. No campo à nossa frente, os trabalhadores começavam a chegar para a lavoura, mas estavam tão distantes que não conseguia ouvir o que diziam. O terreno era todo ondulado, e as terras cultivadas formavam misteriosos desenhos na paisagem. Sob os nossos pés, o curso de água, quase morto pela seca, não fazia muito barulho.

– Antes de andar pelo mundo, Cristo foi conversar com o seu demónio pessoal no deserto – começou Petrus. – Aprendeu o que precisava de saber sobre o homem, mas não deixou que o demónio ditasse as regras do jogo, e desta maneira venceu-o.

»Certa vez, um poeta disse que nenhum homem era uma ilha. Para travar o Bom Combate, precisamos de ajuda. Precisamos de amigos, e quando os amigos não estão perto, temos que transformar a solidão na nossa principal arma. Tudo o que nos cerca tem que ajudar-nos a dar os passos que precisamos em direcção ao nosso objectivo. Tudo tem que ser uma manifestação pessoal da nossa vontade de vencer o Bom Combate. Sem isto, sem perceber que precisamos de todos e de tudo, seremos guerreiros arrogantes. E a nossa arrogância derrotar-nos-á no final, porque vamos estar de tal modo seguros de nós mesmos que não vamos perceber as armadilhas do campo de batalha.

A história de guerreiros e de combates lembrou-me mais uma vez o Don Juan de Carlos Castañeda. Interroguei-me se o velho bruxo índio costumava dar lições de manhã, antes que o seu discípulo pudesse digerir o desjejum. Mas Petrus continuou.

– Além das forças físicas que nos cercam e nos ajudam, existem basicamente duas forças espirituais ao nosso lado: um anjo e um demónio. O anjo protege-nos sempre, e isto é um dom divino – não é necessário invocá-lo. A face do teu anjo está sempre visível quando vês o mundo com belos olhos. Ele é este riacho, os trabalhadores no campo, este céu azul. Aquela velha ponte que nos ajuda a atravessar a água, e que foi colocada aqui por mãos anónimas de legionários romanos, também nesta ponte está a face do teu anjo. Os nossos avós conheciam-no por anjo guardião, anjo da guarda, anjo custódio.

»O demónio também é um anjo, mas é uma força livre, rebelde. Prefiro chamá-lo de Mensageiro, já que ele é o principal elo de ligação entre nós e o mundo. Na Antiguidade era representado por Mercúrio, por Hermes Trimesgisto, o Mensageiro dos Deuses. A sua actuação é apenas no plano material. Está presente no ouro da Igreja, porque o ouro vem da terra e a terra é o seu domínio. Está presente no nosso trabalho e na nossa relação com o dinheiro. Quando o deixamos à solta, a sua tendência é dispersar-se. Quando o exorcisamos, perdemos tudo de bom que ele sempre tem para nos ensinar, pois conhece muito do mundo e dos homens. Quando nos fascinamos pelo seu poder, ele possui-nos e afasta-nos do Bom Combate.

»Portanto, a única maneira de lidar com o nosso Mensageiro é aceitá-lo como amigo. Ouvindo os seus conselhos, pedindo a sua ajuda quando necessária, mas nunca deixando que ele dite as regras.

Como fizeste com o garoto. Para isso, é necessário, primeiro, saber o que se quer, e depois, conhecer a sua face e o seu nome.

– Como vou saber isso? – perguntei.

E Petrus ensinou-me o RITUAL DO MENSAGEIRO.

– Deixa para realizá-lo à noite, porque é mais fácil. Hoje, no teu primeiro encontro, ele revelar-te-á o seu nome. Esse nome é secreto e não deve nunca ser conhecido por ninguém, nem por mim. Quem souber o nome do teu Mensageiro, pode destruí-lo.

Petrus levantou-se e começámos a caminhar. Em pouco tempo chegámos ao campo onde os camponeses trabalhavam a terra. Trocámos alguns «*buenos dias*» e seguimos caminho.

– Se eu tivesse que utilizar uma imagem, diria que o anjo é a tua armadura, e o Mensageiro a tua espada. Uma armadura protege em qualquer circunstância, mas uma espada pode cair no meio de um combate, matar um amigo, ou voltar-se contra o próprio dono. Aliás, uma espada serve para quase tudo, menos para nos sentarmos em cima dela – disse soltando uma gostosa gargalhada.

Parámos numa aldeia para o almoço, e o rapaz que nos atendeu estava visivelmente de mau humor. Não respondia às nossas perguntas, colocou a comida de qualquer maneira, e no final conseguiu derramar um pouco de café nas bermudas de Petrus. Vi então o meu guia transformar-se: enfurecido, foi chamar o dono e esbravejou contra a falta de educação do rapaz. Terminou indo à casa de banho vestir umas bermudas sobresselentes, enquanto o dono lavava a mancha de café e estendia a peça para secar.

Enquanto esperávamos que o sol das duas da tarde cumprisse o seu papel nas bermudas de Petrus, eu pensava em tudo aquilo que tínhamos conversado de manhã. É verdade que a maior parte das coisas que Petrus dissera sobre o menino encaixavam-se. Além do mais, eu tivera a visão de um deserto e de um rosto. Mas aquela história do Mensageiro parecia-me muito primitiva. Estávamos em pleno século XX, e os conceitos de Inferno, de pecado e de demónio já não faziam o menor sentido para qualquer pessoa um pouquinho inteligente. Na Tradição, cujos ensinamentos eu tinha seguido du-

O Ritual do Mensageiro

1) Senta-te e descontrai-te completamente. Deixa a mente vaguear por onde quiser o pensamento fluindo sem controlo. Depois de algum tempo, começa a repetir para ti mesmo: «Agora estou descontraído, e os meus olhos dormem o sono do mundo.»

2) Quando sentires que a tua mente não se preocupa com mais nada, imagina uma coluna de fogo à tua direita. Faz as chamas ficarem vivas, brilhantes. Então diz em voz baixa: «Ordeno que o meu subconsciente se manifeste. Ele abre-se para mim e revela os seus segredos mágicos.» Aguarda um pouco, concentrando-te apenas na coluna de fogo. Se surgir alguma imagem, ela será uma manifestação do teu subconsciente. Procura guardá-la.

3) Mantendo sempre a coluna de fogo à tua direita, começa então a imaginar outra coluna de fogo à tua esquerda. Quando as chamas estiverem bem vivas, diz em voz baixa as seguintes palavras: «Que a força do Cordeiro, que se manifesta em tudo e em todos se manifeste também em mim enquanto invoco o meu Mensageiro. (Nome do Mensageiro) aparecer-me-á agora».

4) Conversa com o teu Mensageiro, que deverá manifestar-se entre as duas colunas. Discute o teu problema específico, e dá-lhe as ordens necessárias.

5) Quando a tua conversa acabar, despede o Mensageiro com as seguintes palavras: «Agradeço ao Cordeiro o milagre que realizei. Que (nome do Mensageiro) volte sempre que invocado, e enquanto estiver distante, que me esteja a ajudar a realizar a minha obra».

Nota: Na primeira invocação – ou nas primeiras invocações, dependendo da capacidade de concentração de quem está a realizar o ritual – não se diz o nome do Mensageiro. Diz-se apenas «Ele». Se o Ritual for bem executado, o Mensageiro deve revelar de imediato o seu nome, através de telepatia. Caso contrário, insiste até conseguires saber o seu nome, e só a partir daí começas as conversas. Quanto mais o ritual for repetido, mais forte será a presença do Mensageiro, e mais rápidas serão as tuas acções.

rante muito mais tempo do que o Caminho de Santiago, o Mensageiro – chamado demónio mesmo, sem preconceitos – era um espírito que dominava as forças da Terra, e que estava sempre a favor do homem. Era muito utilizado em Operações Mágicas, mas nunca como um aliado e conselheiro para as coisas diárias. Petrus tinha deixado entender que eu poderia utilizar a amizade do Mensageiro para melhorar no trabalho e no mundo. Além de profana, a ideia parecia-me infantil.

Mas eu tinha jurado obediência total a Mme. Christine. E mais uma vez tive que cravar a unha na raiz do polegar, em carne viva.

– Não devia ter-me exaltado – disse Petrus assim que saímos. – Afinal de contas, ele não derrubou a chávena sobre mim, mas sobre o mundo que odeia. Sabe que existe um mundo gigantesco, além das fronteiras da sua própria imaginação, e a sua participação neste mundo limita-se a acordar cedo, ir à padaria, servir quem passa, e masturbar-se à noite, sonhando com mulheres que nunca irá conhecer.

Era altura de pararmos para a *siesta,* mas Petrus resolveu continuar a caminhar. Disse que era uma maneira de fazer penitência pela sua intolerância. Eu, que não tinha feito nada, tive que acompanhá-lo debaixo daquele sol forte. Pensava no Bom Combate e nos milhões de pessoas que, naquele instante, estavam espalhadas pelo planeta a fazer coisas de que não gostavam. O Exercício da Crueldade, apesar de estar a deixar-me o dedo em carne viva, estava a fazer-me muito bem. Tinha-me feito perceber como a minha mente podia ser traiçoeira, empurrar-me para coisas que eu não queria e sentimentos que não me ajudavam. Naquele momento eu torci para que Petrus tivesse razão: para que existisse realmente um Mensageiro, com quem pudesse falar de coisas práticas e pedir ajuda nos assuntos do mundo. Fiquei ansioso que a noite chegasse.

Petrus, entretanto, não parava de falar sobre o rapaz. Afinal, terminou convencendo-se de que tinha agido certo, e utilizou para isso, mais uma vez, um argumento cristão.

– Cristo perdoou a mulher adúltera, mas amaldiçoou a figueira que não lhe quis dar um figo. Eu também não estou aqui para ser sempre bonzinho.

Pronto. Na cabeça dele o assunto estava resolvido. Mais uma vez a *Bíblia* tinha-o salvo.

Chegámos a Estella quase às nove horas da noite. Tomei um banho, e descemos para jantar. O autor do primeiro Guia da Rota Jacobeia, Aymeric Picaud, descreveu Estella como «um lugar fértil e de bom pão, óptimo vinho, carne e pescado. O seu rio, Ega, tem a água doce, sã e muito boa». Não bebi a água do rio, mas quanto à mesa, Picaud continuava a ter razão, mesmo depois de oito séculos. Serviram perna de carneiro guisada, corações de alcachofra, e um vinho Rioja de óptima safra. Ficámos à mesa durante muito tempo, a conversar trivialidades e a saborear o vinho. Finalmente, Petrus disse que era uma boa altura para eu ter o meu primeiro contacto com o Mensageiro.

Levantámo-nos e começámos a andar pelas ruas da cidade. Alguns becos davam directamente para o rio – à maneira de Veneza – e foi num desses becos que resolvi sentar-me. Petrus sabia que dali por diante era eu que conduzia a cerimónia, e ficou um pouco atrás.

Fiquei a olhar o rio durante muito tempo. As suas águas, o seu barulho, começaram a desligar-me do mundo e a inspirar-me uma profunda calma. Fechei os olhos e imaginei a primeira coluna de fogo. Houve um momento de certa dificuldade, mas ela acabou por aparecer.

Disse as palavras rituais e a outra coluna surgiu do meu lado esquerdo. O espaço entre as duas colunas, iluminado pelo fogo, estava completamente vazio. Fiquei durante algum tempo com os olhos fixos naquele espaço, procurando não pensar, para que o Mensageiro se manifestasse. Mas, pelo contrário, começaram a aparecer cenas exóticas – a entrada de uma pirâmide, uma mulher vestida de ouro puro, alguns homens negros a dançar à volta de uma fogueira. As imagens iam e vinham em rápida sucessão, e eu deixei que fluíssem sem qualquer controlo. Apareceram também muitos trechos do Caminho que eu tinha feito com Petrus. Paisagens, restaurantes, florestas. Até que, sem qualquer aviso, o deserto cinzento que eu vira de manhã estendeu-se entre as duas colunas de fogo. E lá, a olhar-me, estava o homem simpático com um brilho traiçoeiro nos olhos.

Ele riu e eu sorri no meu transe. Mostrou-me uma bolsa fechada, depois abriu-a e olhou para dentro – mas, da posição em que eu estava não pude ver nada. Então um nome veio à minha cabeça: Astrain*. Comecei a mentalizar este nome, e a vibrá-lo entre as duas colunas de fogo, e o Mensageiro fez um sinal afirmativo com a cabeça; eu tinha descoberto como se chamava.

Era o momento de terminar o exercício. Disse as palavras rituais e extingui as colunas de fogo – primeiro a da esquerda, depois a da direita. Abri os olhos e o Rio Ega estava diante de mim.

– Foi muito menos difícil do que imaginava – disse para Petrus, e depois contei-lhe tudo o que tinha visualizado entre as colunas.

– Este foi o teu primeiro contacto. Um contacto de reconhecimento mútuo, e de mútua amizade. A conversa com o Mensageiro irá ser produtiva se o invocares todos os dias, discutindo os teus problemas com ele, e sabendo distinguir perfeitamente o que é ajuda real do que é armadilha. Mantém sempre em riste a tua espada, quando o encontrares.

– Mas eu não tenho espada ainda – respondi.

– Por isso, ele poderá causar-te muito pouco dano. Mesmo assim, é bom não facilitar.

O Ritual tinha acabado, despedi-me de Petrus e voltei para o hotel. Debaixo dos lençóis, pensava no pobre rapaz que nos tinha servido o almoço. Tinha vontade de voltar, de ensinar-lhe o RITUAL

---

* Nome falso.

do Mensageiro, e dizer que tudo podia mudar se ele assim desejasse. Mas era inútil tentar salvar o mundo: eu ainda não tinha conseguido sequer salvar-me a mim mesmo*.

---

* Nota do Autor: O Ritual do Mensageiro está descrito de maneira incompleta. Na verdade, Petrus falou-me do significado das visões, das lembranças e da bolsa que Astrain me mostrou. Entretanto, como o Encontro com o Mensageiro é diferente para cada pessoa, insistir na minha vivência pessoal seria influenciar de maneira negativa a experiência de cada um.

O Amor

– Conversar com o Mensageiro não é ficar a perguntar coisas sobre o mundo dos espíritos – disse Petrus no dia seguinte. – O Mensageiro só te serve para uma coisa: ajudar-te no mundo material. E ele só te dará essa ajuda se souberes exactamente o que desejas.

Tínhamos parado num povoado para beber alguma coisa. Petrus tinha pedido uma cerveja, e eu um refrigerante. O descanso do meu copo era feito de plástico redondo com água colorida dentro. Os meus dedos desenhavam figuras abstractas na água, e eu estava preocupado.

– Disseste-me que o Mensageiro se tinha manifestado no garoto porque precisava dizer-me algo.

– Algo urgente – confirmou ele.

Continuámos a conversar sobre Mensageiros, anjos e demónios. Era difícil para mim aceitar um uso tão prático dos mistérios da Tradição. Petrus insistia na ideia de que temos sempre que procurar uma recompensa, e eu lembrava que Jesus dissera que os ricos não entrariam no reino dos céus.

– Jesus também recompensou o homem que soube multiplicar os talentos do seu amo. Além disso, não acreditaram nele só porque tinha uma boa oratória: precisou de fazer milagres, dar recompensas aos que o seguiam.

– Ninguém vai falar mal de Jesus no meu bar – interrompeu o dono, que estava a seguir a nossa conversa.

– Ninguém está a falar mal de Jesus – respondeu Petrus. – Falar mal de Jesus é cometer pecado invocando o Seu nome. Como fizeram aqui nesta praça.

O dono do bar vacilou por um instante. Mas logo respondeu:

– Eu não tive nada a ver com isso. Era ainda uma criança.

– Os culpados são sempre os outros – resmungou Petrus.

O dono do bar saiu pela porta da cozinha. Perguntei sobre o que estavam a falar.

– Faz cinquenta anos, em pleno século XX, um cigano foi queimado aí em frente. Acusado de bruxarias e de blasfemar contra a santa hóstia. O caso foi abafado pelas atrocidades da guerra civil espanhola, e ninguém actualmente se lembra do assunto. Excepto os habitantes desta cidade.

– Como sabes isso, Petrus?

– Porque já percorri antes o Caminho de Santiago.

Continuámos a beber no bar vazio. Fazia muito sol lá fora e era a hora da nossa *siesta*. Daí a pouco o dono do bar voltou com o pároco da aldeia.

– Quem são os senhores? – perguntou o padre.

Petrus mostrou a vieira desenhada na mochila. Durante mil e duzentos anos os peregrinos tinham passado pelo caminho em frente ao bar, e a tradição fazia com que cada peregrino fosse respeitado e acolhido em qualquer circunstância. O padre mudou logo de tom.

– Como é que uns peregrinos a caminho de Santiago falam mal de Jesus? – perguntou, num tom mais de catequese.

– Ninguém aqui estava a falar mal de Jesus. Estávamos a falar mal dos crimes cometidos em nome de Jesus. Como o cigano que foi queimado na praça.

A vieira na mochila de Petrus mudou também o tom da conversa do dono. Desta vez ele dirigiu-se a nós com respeito.

– A maldição do cigano permanece até hoje – disse, sob o olhar reprovador do padre.

Petrus insistiu em saber como. O padre disse que eram histórias do povo, sem qualquer apoio da Igreja. Mas o dono do bar prosseguiu:

– Antes de morrer, o cigano disse que a criança mais nova da aldeia iria receber e incorporar os seus demónios. Quando essa criança ficasse velha e morresse, os demónios passariam para uma nova criança. E assim, através dos séculos.

– A terra aqui é igual à terra das aldeias ao redor – disse o padre. Quando eles sofrem a seca, nós sofremos também. Quando lá chove e têm boa colheita, nós também enchemos os nossos celeiros. Nada aconteceu connosco que não tivesse também acontecido com as aldeias vizinhas. Toda essa história é uma grande fantasia.

– Nada aconteceu porque nós isolámos a Maldição – disse o dono do bar.

– Pois então, vamos até ela – respondeu Petrus.

O padre riu e disse que era assim que se falava. O dono do bar fez o sinal da cruz. Mas nenhum dos dois se moveu.

Petrus pagou a conta e insistiu para que alguém nos levasse àquela pessoa que tinha recebido a Maldição. O padre desculpou-se, dizendo que precisava de voltar para a igreja, pois tinha interrompido um trabalho importante. E saiu antes que algum de nós pudesse dizer qualquer coisa.

O dono do bar olhou com medo para Petrus.

– Não se preocupe – disse o meu guia. – Basta mostrar-nos a casa onde ela vive. E nós vamos tentar libertar a cidade da Maldição.

O dono do bar saiu connosco para a rua poeirenta e brilhante com o sol quente da tarde. Caminhámos juntos até à saída do povoado, e ele apontou-nos uma casa afastada, nas margens do Caminho.

– Nós mandamos sempre comida, roupas, tudo o que é necessário – desculpou-se. – Mas nem mesmo o padre vai até lá.

Despedimo-nos e caminhámos até à casa. O homem ficou à espera, pensando talvez que fôssemos passar adiante. Mas Petrus foi até à porta da frente e bateu. Quando olhei para trás, o dono do bar tinha desaparecido.

Uma mulher de mais ou menos sessenta anos veio abrir a porta. Ao lado dela um enorme cachorro preto abanava o rabo e parecia contente com a visita. A mulher perguntou o que queríamos: disse que estava ocupada a lavar a roupa, e que tinha deixado algumas panelas ao lume. Não pareceu admirada com a visita. Deduzi que muitos peregrinos, que não sabiam da Maldição, devem ter batido àquela porta em busca de abrigo.

– Somos peregrinos a caminho de Compostela e precisamos de um pouco de água quente – disse Petrus. – Sei que a senhora não irá recusar.

Meio a contragosto, a velha abriu a porta. Entrámos numa pequena sala, limpa, mas pobremente mobilada. Havia um sofá com o plástico do forro rasgado, um aparador e uma mesa de fórmica com duas cadeiras. Em cima do aparador, uma imagem do Sagrado Coração de Jesus, alguns santos e um crucifixo feito de espelhos. Duas portas davam para a saleta: por uma eu podia ver o quarto. A mulher conduziu Petrus pela outra, que ia dar à cozinha.

– Tenho um pouco de água a ferver – disse ela. – Vou buscar uma vasilha e os senhores podem logo seguir por onde vieram.

Eu fiquei sozinho com o imenso cachorro na sala. Ele abanava o rabo, contente e dócil. Daí a pouco a mulher voltou com uma velha lata, encheu-a de água quente, e estendeu-a a Petrus.

– Pronto. Partam com a bênção de Deus.

Mas Petrus não se moveu. Tirou um saquinho de chá da mochila, colocou dentro da lata, e disse que gostaria de dividir o pouco que tinha com ela, em agradecimento por nos acolher.

A mulher, visivelmente contrariada, trouxe duas chávenas e sentou-se com Petrus à mesa de fórmica.

Eu continuei a olhar para o cachorro, enquanto ouvia a conversa dos dois.

– Disseram-me no povoado que havia uma maldição sobre esta casa – comentou Petrus, com naturalidade.

Senti que os olhos do cachorro brilharam, como se tivesse entendido também a conversa. A velha pôs-se imediatamente em pé.

– Isso é mentira! Isso é superstição antiga! Por favor, acabe logo o seu chá que eu tenho muito que fazer.

O cão sentiu a súbita mudança de humor da mulher. Ficou imóvel em estado de alerta. Mas Petrus continuava com a mesma tranquilidade do início. Colocou lentamente o chá na chávena, levou-a aos lábios, e pousou-a na mesa sem beber uma gota.

– Está muito quente – disse. – Vamos esperar que arrefeça um pouco.

A mulher já não se sentou. Estava visivelmente contrariada com a nossa presença, e arrependida de ter aberto a porta. Reparou que eu estava a olhar fixamente para o cão e chamou-o para o seu lado. O animal obedeceu, mas quando chegou perto dela tornou a olhar para mim.

– Foi para isto, meu caro Paulo – disse, olhando para mim. – Foi para isto que o teu Mensageiro apareceu ontem na criança.

De repente dei-me conta que não era eu que estava a olhar o cão. Desde que tinha entrado, aquele animal tinha-me hipnotizado e mantido os meus olhos fixos nos dele. Era o cão que estava a olhar-me, e a fazer com que eu cumprisse a sua vontade. Comecei a sentir uma grande preguiça, uma vontade de dormir naquele sofá rasgado, porque fazia muito calor lá fora e eu não estava com vontade de andar. Tudo aquilo me parecia estranho, e eu tinha a sensação de que estava a cair numa armadilha. O cão olhava-me fixamente, e quanto mais olhava para mim, mais sono eu tinha.

– Vamos – disse Petrus, levantando-se e estendendo-me a chávena de chá. – Toma um pouco, porque a senhora deseja que partamos já.

Eu vacilei, mas consegui pegar na chávena e o chá quente reanimou-me. Eu queria dizer qualquer coisa, perguntar o nome do animal, mas a minha voz não saía. Alguma coisa dentro de mim tinha despertado, algo que Petrus não me tinha ensinado, mas que começava a manifestar-se. Era um desejo incontrolável de proferir palavras estranhas, de que nem eu mesmo sabia o sentido. Achei que Petrus tinha posto alguma coisa no chá. Tudo começou a ficar distante, e eu tinha apenas a vaga noção de que a mulher dizia a Petrus que tínhamos de ir embora. Senti um estado de euforia, e resolvi dizer em voz alta as palavras estranhas que me estavam a passar pela cabeça.

Tudo o que podia perceber naquela sala era o cão. Quando comecei a dizer aquelas palavras estranhas, que nem eu mesmo entendia, percebi que o cão tinha começado a rosnar. Ele estava a entender. Eu fiquei mais excitado, e continuei a falar cada vez mais alto. O cão levantou-se e arreganhou os dentes. Já não era o animal dócil que tinha encontrado à chegada, mas uma coisa ruim e ameaçadora, que me podia atacar a qualquer momento. Sabia que as palavras me protegiam, e comecei a falar cada vez mais alto, dirigindo toda a minha força para o cão, sentindo que dentro de mim havia um poder diferente, e que esse poder impedia que o animal me atacasse.

A partir daí, tudo começou a acontecer em câmara lenta. Notei que a mulher se aproximava de mim aos berros e tentava empurrar-me para fora, e que Petrus segurava a mulher, mas o cão não prestava a menor atenção à briga dos dois. Estava com os olhos fixos em mim, e levantou-se a rosnar e a mostrar os dentes. Tento compreender a língua estranha que estou a falar, mas cada vez que paro para procurar algum sentido, o poder diminui e o cão aproxima-se, torna-se mais forte. Começo então a gritar sem procurar entender, e a mulher começa a gritar também. O cão ladra e ameaça-me, mas enquanto eu continuar a falar estarei seguro. Ouço uma grande risada, mas não sei se a risada existe ou se é fruto da minha imaginação.

De repente, como se tudo acontecesse ao mesmo tempo, a casa foi invadida por um vento, o cão deu um grande uivo e saltou sobre mim. Eu levantei o braço para defender o rosto, gritei uma palavra e esperei o impacto.

O cão atirou-se a mim com todo o seu peso, e eu caí no sofá de plástico. Por alguns instantes os nossos olhos ficaram fixos um no outro, e, de repente, ele saiu a correr para fora.

Comecei a chorar copiosamente. Lembrei-me da minha família, da minha mulher e dos meus amigos. Sentia uma gigantesca sensação de amor, uma alegria imensa e absurda, porque ao mesmo tempo estava consciente de toda aquela história com o cão. Petrus pegou-me por um braço e levou-me para fora, ambos empurrados pela mulher. Olhei em volta e já não havia sinal do cachorro. Abracei-me a Petrus e continuei a chorar, enquanto caminhávamos debaixo do sol.

Não consegui recordar-me daquela caminhada, e só voltei a mim sentado numa fonte, com Petrus a molhar-me a cara e a nuca. Pedi um gole e ele disse que se bebesse qualquer coisa iria vomitar. Estava um pouco enjoado, mas sentia-me bem. Um imenso amor por tudo e por todos tinha-me invadido. Olhei em volta e vi as árvores da beira da estrada, a pequena fonte onde tínhamos parado, a brisa fresca e o canto dos passarinhos na mata. Estava a ver o rosto do meu anjo, conforme Petrus tinha dito. Perguntei se estávamos longe da casa da mulher. Ele disse que tínhamos andado mais ou menos quinze minutos.

– Deves estar a querer saber o que aconteceu – disse ele.

Na verdade, isso não tinha a menor importância. Eu estava contente com aquele Amor imenso que me tinha invadido. O cachorro, a mulher, o dono do bar, tudo aquilo era uma lembrança distante, que parecia não ter nenhuma relação com o que eu estava a sentir agora. Disse a Petrus que gostaria de caminhar um pouco, porque me sentia bem.

Levantei-me e retomámos o Caminho de Santiago. Durante o resto da tarde não disse quase nada, imerso naquele sentimento agradável que parecia preencher tudo. De vez em quando pensava que Petrus tinha deitado qualquer droga no chá, mas isso não tinha a menor importância. Importante era ver os montes, os riachos, as flores na estrada, os traços gloriosos do rosto do meu anjo.

Chegámos a um hotel às oito horas da noite, e eu ainda continuava – embora com menor intensidade – naquele estado de beatitude. O dono pediu o meu passaporte para o registo, e eu entreguei-lho.

– O senhor é do Brasil? Eu já lá estive. Fiquei num hotel na praia de Ipanema.

Aquela frase absurda devolveu-me o sentido da realidade. Em plena Rota Jacobeia, numa aldeia construída há muitos séculos atrás, havia um hoteleiro que conhecia a praia de Ipanema.

– Estou pronto a conversar – disse a Petrus. – Preciso de saber tudo o que aconteceu hoje.

A sensação de beatitude tinha passado. Em seu lugar, surgia de novo a Razão, com os seus temores do desconhecido, com a urgente e absoluta necessidade de assentar de novo os pés na terra.

– Depois do jantar – respondeu ele.

Petrus pediu que o dono do hotel ligasse a televisão, mas sem o som. Disse que era a melhor maneira de eu ouvir tudo sem fazer muitas perguntas, porque parte de mim ia estar a olhar para o que se passava no ecrã. Perguntou até onde eu me lembrava do que tinha acontecido. Respondi que me lembrava de tudo, menos da parte em que caminhámos até à fonte.

– Isso não tem a menor importância para a história – respondeu ele. Na televisão, um filme sobre qualquer coisa relacionada com minas de carvão começava a passar. As pessoas vestiam trajes do início do século.

– Ontem, quando pressenti a urgência do teu Mensageiro, sabia que um combate no Caminho de Santiago estava para começar. Tu estás aqui para encontrar a tua espada e aprender as Práticas de RAM. Mas sempre que um guia conduz um peregrino, existe pelo menos uma circunstância que foge ao controlo dos dois, e que é uma espécie de teste prático do que está a ser ensinado. No teu caso, foi o encontro com o cão.

»Os detalhes da luta e o porquê dos muitos demónios num animal, explicar-te-ei mais adiante. O importante agora é entenderes que aquela mulher já estava acostumada à Maldição. Tinha aceite isso como uma coisa normal, e a mesquinhez do mundo parecia-lhe algo bom. Aprendeu a satisfazer-se com muito pouco, quando a vida é generosa e quer sempre dar-nos muito.

»Quando expulsaste os demónios daquela pobre velha, também desequilibraste o seu universo. No outro dia conversámos sobre as cruel-dades que as pessoas são capazes de fazer a si mesmas. Muitas vezes, quando tentamos mostrar o bem, mostrar que a vida é generosa, elas rejeitam a ideia como se fosse coisa do demónio. Ninguém gosta de pedir muito da vida, porque tem medo da derrota. Mas quem deseja travar o Bom Combate, tem que olhar o mundo como se fosse um tesouro imenso, que está ali à espera de ser descoberto e conquistado.

Petrus perguntou-me se eu sabia o que estava a fazer ali, no Caminho de Santiago.

– Estou à procura da minha espada – respondi.

– E para que queres a tua espada?

– Porque ela me trará o Poder e a Sabedoria da Tradição.

Senti que a minha resposta não lhe tinha agradado completamente. Mas ele prosseguiu:

– Estás aqui em busca de uma recompensa. Ousas sonhar, e estás a fazer o possível para transformar esse sonho em realidade. Precisas de saber melhor o que irás fazer com a tua espada, e isto tem que ficar claro antes de chegares até ela. Mas uma coisa conta a teu favor: estás em busca de uma Recompensa. Só estás a fazer o Caminho de Santiago porque desejas ser recompensado pelo teu esforço. Já notei que tudo o que te estou a ensinar, tens aplicado, procurando um fim prático. Isso é muito positivo.

»Falta apenas que consigas juntar as PRÁTICAS DE RAM com a tua própria intuição. A linguagem do teu coração é que irá determinar a maneira correcta de descobrir e manejar a tua espada. Caso contrário, os exercícios e as PRÁTICAS DE RAM vão perder-se na sabedoria inútil da Tradição.

Petrus já me tinha dito aquilo antes, de maneira diferente, e apesar de concordar com ele, não era isso que estava interessado em saber. Tinham acontecido duas coisas que eu não conseguia explicar: a língua diferente que falei, e a sensação de alegria e amor, depois de ter expulso o cão.

– A sensação de alegria aconteceu porque o teu gesto foi tocado por Ágape.

– Falas muito em Ágape, e até agora não me explicaste exactamente o que é. Tenho a sensação de que se trata de algo relacionado com uma forma maior de amor.

– É exactamente isso. Depressa chegará o momento de experimentares esse amor intenso, esse amor que devora quem ama. Entretanto, contenta-te em saber que ele se manifesta livremente em ti.

– Eu já tive essa sensação antes, só que mais curta e de maneira diferente. Acontecia sempre depois de uma vitória profissional, de uma conquista, ou quando pressentia que a Sorte estava a ser generosa comigo. Entretanto, quando esta sensação surgia, eu fechava-me e ficava com medo de a viver intensamente. Como se essa alegria pudesse despertar a inveja nos outros, ou como se eu fosse indigno de recebê-la.

– Todos nós, antes de conhecer Ágape, agimos assim – disse ele, com os olhos fixos no ecrã da TV.

Perguntei-lhe então sobre a língua diferente que eu tinha falado.

– Isso foi uma surpresa para mim. Não é uma Prática do Caminho de Santiago. Trata-se de um Carisma, e faz parte das Práticas de RAM no Caminho de Roma.

Eu já ouvira qualquer coisa a respeito dos Carismas, mas pedi a Petrus que me explicasse.

– Os Carismas são os dons do Espírito Santo manifestados nas pessoas. Existe uma diversidade deles: o dom da cura, o dom dos milagres, o dom da profecia, entre outros. Tu experimentaste o Dom das Línguas, o mesmo que os apóstolos experimentaram no dia de Pentecostes.

»O Dom das Línguas está ligado à comunicação directa com o Espírito. Serve para orações poderosas, exorcismos – como foi o teu caso – e sabedoria. Os dias da caminhada e as Práticas De RAM, além do perigo que o cão representava para ti despertaram o Dom das Línguas por acaso. Isso não voltará a acontecer, a não ser que encontres a tua espada e resolvas seguir o Caminho de Roma. De qualquer maneira, foi um bom presságio.

Fiquei a olhar a televisão sem som. A história das minas de carvão tinha-se transformado numa sucessão de imagens de homens e mulheres sempre a falar, a discutir, a conversar. De vez em quando, um actor e uma actriz beijavam-se.

– Mais uma coisa – disse Petrus. – Pode ser que tornes a encontrar o cão; nesse caso, não tentes despertar de novo o Dom das Línguas, porque ele não voltará. Confia no que a tua intuição te disser. Vou ensinar-te outra PRÁTICA DE RAM, que irá despertar essa intuição. Assim, vais começar a conhecer a linguagem secreta da tua mente, e ela ser-te-á muito útil em todos os momentos da tua vida.

Petrus desligou a televisão, justamente quando eu começava a interessar-me pelo enredo. Depois, foi até ao bar e pediu uma garrafa de água mineral. Cada um bebeu um pouco, e ele trouxe a garrafa com o que tinha sobrado.

Sentámo-nos ao ar livre, e por alguns momentos ninguém disse nada. O silêncio da noite envolvia-nos e a Via Láctea nos céus lembrava-me sempre o meu objectivo: encontrar a espada.

Ao fim de algum tempo, Petrus ensinou-me o EXERCÍCIO DA ÁGUA.

– Estou cansado e vou dormir – disse ele. – Mas faz este exercício agora. Desperta de novo a tua intuição, o teu lado secreto. Não te preocupes com a lógica, porque a água é um elemento fluido, e não se deixará dominar tão facilmente. Mas ela vai construir, aos poucos, sem violência, uma nova relação tua com o Universo.

E concluiu, antes de entrar para o hotel:

– Não é sempre que se tem a ajuda de um cão.

Continuei a saborear um pouco o fresco e o silêncio da noite. O hotel ficava afastado de qualquer cidade, e ninguém passava pela estrada à minha frente. Lembrei-me do dono, que conhecia Ipanema, e deveria achar um absurdo eu estar naquele lugar tão árido, queimado pelo sol, que voltava todos os dias com a mesma fúria.

Comecei a ficar com sono e resolvi realizar logo o exercício. Derramei o resto da garrafa no chão de cimento. Uma poça formou-se imediatamente. Não tinha qualquer imagem ou forma, mas não era isso que eu procurava. Os meus dedos começaram a passear pela água fria, e comecei a sentir o mesmo tipo de hipnose que se sente quando se fica a olhar o fogo. Não pensava em nada, estava apenas a brincar. A brincar com uma poça de água. Fiz alguns riscos nas bordas, e ela pareceu transformar-se num sol molhado, mas os riscos logo se misturavam e fundiam-se. Com a mão espalmada, bati no centro da poça; a água espalhou-se ao redor, enchendo o cimento de pingos, estrelas negras num fundo cinza. Estava completamente entregue àquele exercício absurdo, que não tinha a menor finalidade, mas que era agradável de realizar. Senti que a mente tinha parado quase por completo, o que eu só conseguia atingir em longos períodos de meditação e descontracção. Ao mesmo tempo, alguma coisa me dizia que, nas profundezas de mim mesmo, nos lugares ocultos da minha mente, uma força ganhava corpo e preparava-se para se manifestar.

Fiquei muito tempo a brincar com a poça, e foi difícil parar o exercício. Se Petrus me tivesse ensinado o exercício da água no começo da viagem, com toda a certeza teria achado que era uma perda de tempo. Mas agora, tendo falado em línguas diferentes e expulsado demónios, aquela poça de água estabelecia um contacto – ainda que frágil – com a Via Láctea acima de mim. Reflectia as suas estrelas, criava desenhos que eu não conseguia entender, e dava-me a sensação, não de estar a perder tempo, mas de estar a criar um novo código de comunicação com o mundo. O código secreto da alma, a língua que conhecemos e que ouvimos tão pouco.

Quando dei conta, já era bastante tarde. As luzes da portaria estavam apagadas, e eu entrei sem fazer ruído. No meu quarto, fiz mais uma vez a invocação de Astrain. Ele apareceu mais nítido, e eu falei-lhe algum tempo sobre a minha espada e os meus objectivos na vida. Por enquanto, ele não respondia nada, mas Petrus dissera-me que, com o decorrer das invocações, Astrain iria tornar-se uma presença viva e poderosa ao meu lado.

O DESPERTAR DA INTUIÇÃO
(O EXERCÍCIO DA ÁGUA)

Faz uma poça de água sobre uma superfície lisa e não absorvente. Olha para essa poça durante algum tempo. Depois começa a brincar, sem qualquer compromisso, sem qualquer objectivo, com a poça de água. Traça desenhos que não queiram dizer absolutamente nada. Faz este exercício durante uma semana, demorando um mínimo de dez minutos de cada vez.

Não procures resultados práticos neste exercício porque ele está a despertar, aos poucos, a tua intuição. Quando ela começar a manifestar-se durante as outras horas do dia, confia sempre nela.

O CASAMENTO

Logroño é uma das maiores cidades cruzadas pelos peregrinos que seguem a Rota Jacobeia. Antes disso, a única grande cidade que tínhamos atravessado tinha sido Pamplona – e mesmo assim, não pernoitáramos lá. Mas, na tarde em que chegámos a Logroño, a cidade preparava-se para uma grande festa, e Petrus sugeriu que ficássemos ali, pelo menos aquela noite.

Eu estava já acostumado ao silêncio e à liberdade do campo, de maneira que a ideia não me agradou muito. Cinco dias tinham-se passado desde o incidente com o cão, e eu fazia todas as noites a invocação de Astrain e o exercício da água. Sentia-me muito mais calmo, consciente da importância do Caminho de Santiago na minha vida e no que iria fazer dali por diante. Apesar da aridez da paisagem, da comida nem sempre boa, e do cansaço provocado por dias inteiros na estrada, eu estava a viver um sonho real.

Tudo aquilo ficou distante no dia em que chegámos a Logroño. Ao contrário do ar quente, mas puro dos campos do interior, a cidade estava cheia de carros, jornalistas e equipas de TV. Petrus entrou no primeiro bar para perguntar o que se passava.

– O senhor não sabe? É o casamento da filha do Coronel M. – respondeu o homem. – Vamos ter um grande banquete público na praça, e hoje fecho mais cedo.

Foi difícil encontrar um hotel, mas conseguimos hospedagem num casal de velhos que tinha reparado na vieira na mochila de Petrus.

Tomámos banho, vesti a única calça comprida que tinha trazido, e saímos para a praça.

Ali, dezenas de empregados a suar debaixo de *summers* e vestidos negros, davam os últimos retoques nas mesas espalhadas por todo o local. A TV Espanhola tirava alguns *flashes* dos preparativos. Seguimos por uma pequena rua que ia dar à Paróquia de Santiago El Real, onde a cerimónia estava para começar.

Pessoas bem vestidas, mulheres com a maquilhagem quase a derreter por causa da temperatura, crianças de roupas brancas e olhar zangado, entravam sem parar na igreja. Alguns fogos de artifício estouraram sobre nós, e uma imensa limusina negra parou à porta principal. Era o noivo que chegava. Eu e Petrus não conseguimos entrar na igreja apinhada, e resolvemos voltar para a praça.

Petrus foi dar uma volta e eu sentei-me num dos bancos, à espera que o casamento acabasse e o banquete fosse servido. Ao meu lado, um vendedor de pipocas esperava o final da cerimónia para uma venda extra.

– O senhor também é convidado? – perguntou o vendedor.

– Não – respondi. – Somos peregrinos a caminho de Compostela.

– De Madrid existe um comboio directo até lá, e se for numa sexta tem direito a hotel grátis.

– Mas nós estamos a fazer uma peregrinação.

O vendedor olhou para mim, e disse com todo o cuidado:

– Peregrinação é para santo.

Resolvi não insistir no assunto. O velho começou a contar que já tinha casado a filha, mas que agora ela vivia separada do marido.

– Na época de Franco havia muito mais respeito – disse. – Hoje já ninguém dá atenção à família.

Mesmo estando num país estranho, onde não é aconselhável discutir política, eu não podia deixar passar aquilo sem resposta. Disse que Franco era um ditador, e que nada na época dele podia ter sido melhor.

O velho ficou vermelho.

– Quem é o senhor para falar dessa forma?

– Conheço a história do seu país. Conheço a luta do seu povo pela liberdade. Li sobre os crimes da guerra civil espanhola.

– Pois eu participei na guerra. Posso falar, porque correu o sangue da minha família. A história que o senhor leu não me interessa; interessa-me o que se passa na minha família. Eu lutei contra Franco, mas depois dele vencer, a minha vida melhorou. Não sou pobre e tenho uma carrocinha de pipocas. Este governo socialista que está aí não me ajudou a conseguir isto. Vivo pior agora do que vivia antes.

Lembrei-me de Petrus dizer que as pessoas se contentavam com muito pouco da vida. Resolvi não insistir no assunto e mudei de banco.

Petrus veio sentar-se ao meu lado. Falei da história do vendedor de pipocas.

– Conversar é muito bom – disse ele – quando nos queremos convencer do que estamos a dizer. Sou do PCI* e não conhecia esse teu lado fascista.

– Que lado fascista? – perguntei indignado.

– Ajudaste o velho a convencer-se de que Franco era melhor. Talvez ele nunca tivesse sabido porquê. Agora já sabe.

– Pois eu fico muito surpreendido em saber que o PCI acredita nos dons do Espírito Santo.

– Nós preocupamo-nos com o que os vizinhos vão dizer – disse ele. E imitou o Papa.

Rimos juntos. O fogo de artifício estoirou de novo. Uma banda subiu ao coreto da praça e começou a afinar os instrumentos. A festa deveria começar a qualquer momento.

Olhei para o céu. Começava a escurecer e algumas estrelas apareciam. Petrus dirigiu-se a um dos empregados e conseguiu dois copos de plástico cheios de vinho.

– Dá sorte beber um pouco antes de começar a festa – disse ele estendendo-me um dos copos. – Toma um pouco disto. Vai ajudar-te a esquecer o velho das pipocas.

---

* Partido Comunista Italiano.

– Eu já não estou a pensar nisso.

– Pois devias. Porque o que aconteceu é uma mensagem simbólica de um comportamento errado. Estamos sempre a tentar conquistar adeptos para as nossas explicações do Universo. Achamos que a quantidade de pessoas que acredita na mesma coisa em que acreditamos é que irá transformar essa coisa em realidade. E não é nada disso.

»Olha à tua volta. Prepara-se uma grande festa, uma comemoração está para começar. Muitas coisas estão a ser celebradas ao mesmo tempo: o sonho do pai que queria casar a filha, o sonho da filha que queria casar, o sonho do noivo. Isso é bom, porque eles acreditam nesse sonho e querem mostrar a todos que atingiram uma meta. Não é uma festa para convencer ninguém, e por isso será divertida. Tudo indica que são pessoas que travaram o Bom Combate do amor.

– Mas estás a tentar convencer-me, Petrus. Estás a guiar-me pelo Caminho de Santiago.

Ele olhou para mim com frieza.

– Eu estou a ensinar-te as PRÁTICAS DE RAM. Mas só conseguirás chegar à tua espada se descobrires que no teu coração está o caminho, a verdade e a vida.

Petrus apontou para o céu, onde as estrelas já eram bem visíveis.

– A Via Láctea mostra o Caminho até Compostela. Não existe religião que seja capaz de juntar todas as estrelas, porque se isso acontecesse, o Universo tornar-se-ia um gigantesco espaço vazio e perderia a sua razão de existir. Cada estrela – e cada homem – tem o seu espaço e as suas características especiais. Existem estrelas verdes, amarelas, azuis, brancas, existem cometas, meteoros e meteoritos, nebulosas e anéis. Aquilo que daqui debaixo parece uma porção de pontinhos iguais, na verdade são milhões de coisas diferentes, espalhadas por um espaço além da compreensão humana.

O fogo de artifício recomeçou, e a sua luz escondeu por momentos o céu. Uma cascata de partículas verdes e brilhantes apareceu no céu.

– Antes nós ouvíamos apenas o seu ruído, porque era de dia. Agora podemos ver a sua luz – disse Petrus. – Esta é a única mudança a que o homem pode aspirar.

A noiva saiu da igreja e as pessoas atiraram arroz e gritaram vivas. Era uma menina magra, dos seus dezassete anos, de braço dado com um rapaz em farda de gala. Todos começaram a sair e a encaminhar-se para a praça.

– Olha o Coronel M.! Repara no vestido da noiva! Está linda! – diziam algumas raparigas perto de nós.

Os convidados cercaram as mesas, os empregados distribuíram o vinho, e a banda de música começou a tocar. O velhinho das pipocas foi imediatamente cercado por uma multidão de garotos que, histericamente, estendiam o dinheiro e espalhavam os sacos pelo chão. Imaginei que para os habitantes de Logroño, pelo menos naquela noite, não existia o resto do mundo, a ameaça de guerra nuclear, o desemprego, os crimes de morte. A noite era uma festa, as mesas estavam na praça para o povo, e todos se sentiam importantes.

Uma equipa da TV dirigiu-se na nossa direcção e Petrus escondeu o rosto. Mas a equipa passou em busca de um dos convidados, que estava ao nosso lado. Eu reconheci imediatamente o sujeito: era o chefe da torcida espanhola no Mundial de Futebol do México. Quando acabou a entrevista, dirigi-me a ele. Disse que era brasileiro e ele, fingindo indignação, reclamou contra um golo roubado na primeira partida do Mundial*. Mas de seguida abraçou-me e disse que o Brasil voltaria a ter os melhores jogadores do mundo.

– Como consegue ver o jogo se está sempre de costas para o campo, animando a torcida? – perguntei. Era uma das coisas que mais me tinha chamado a atenção durante as transmissões do Mundial.

– A minha alegria é essa. Ajudar a torcida a acreditar na vitória.

E concluiu, como se também fosse um guia pelos caminhos de Santiago:

– Uma torcida sem fé faz uma equipa perder um jogo já vitorioso.

---

* Na partida entre a Espanha e o Brasil, no Mundial do México em 1986, um golo espanhol foi anulado porque o juiz não viu que a bola bateu para além da linha da baliza, antes de ressaltar para fora. O Brasil acabou por vencer por 1-0.

Ele foi logo solicitado por outras pessoas, mas eu fiquei reflectindo sobre as suas palavras. Mesmo sem nunca ter cruzado a Rota Jacobeia, ele também sabia o que era travar o Bom Combate.

Descobri Petrus escondido num canto, e abertamente incomodado pela presença das equipas de televisão. Só quando os reflectores se apagaram é que ele saiu do meio das árvores da praça e se descontraiu um pouco. Pedimos mais dois copos de vinho, eu fiz para mim mesmo um prato de canapés, e Petrus descobriu uma mesa onde pudemos sentar-nos junto a outros convidados.

O casal de noivos cortou um imenso bolo. Mais vivas soaram.

– Eles devem amar-se – pensei em voz alta.

– É claro que se amam – disse um homem de fato escuro que estava sentado à mesa. – O senhor já viu alguém casar por outro motivo?

Guardei a resposta para mim mesmo, lembrando o que Petrus dissera sobre o vendedor de pipocas. Mas o meu guia não deixou passar o episódio em branco.

– A que tipo de amor se refere o senhor: Eros, Philos ou Ágape?

O homem olhou sem entender nada. Petrus levantou-se, encheu de novo o copo, e pediu que passeássemos um pouco.

– Existem três palavras gregas para designar o amor – começou ele. – Hoje vês a manifestação de Eros, aquele sentimento entre duas pessoas.

Os noivos sorriam para os *flashes* e recebiam cumprimentos.

– Parece que os dois se amam – disse, referindo-se ao casal. – E acham que o amor é uma coisa que cresce. Dentro em pouco estarão a lutar sozinhos pela vida, vão montar uma casa, e vão participar da mesma aventura. Isto engrandece e torna digno o amor. Ele vai seguir a sua carreira no Exército, ela deve saber cozinhar e ser uma excelente dona-de-casa, porque foi educada desde criança para isso. Vai acompanhá-lo, terão filhos, e se sentirem que estão a construir alguma coisa juntos, é porque estão na luta do Bom Combate. Então, mesmo com todos os tropeços, jamais vão deixar de ser felizes.

»No entanto, a história que estou a contar-te pode acontecer de maneira inversa. Ele pode começar a sentir que não é livre o suficiente para manifestar todo o Eros, todo o amor que tem por outras mulheres. Ela pode começar a sentir que sacrificou uma carreira e uma vida brilhante para acompanhar o marido. Então, ao invés da criação conjunta, cada um irá sentir-se roubado na sua maneira de amar. Eros, o espírito que os une, irá começar a mostrar apenas o seu lado mau. E aquilo que Deus tinha destinado ao homem como o seu mais nobre sentimento, passará a ser fonte de ódio e destruição.

Olhei em volta. Eros estava presente em vários casais. O exercício da água tinha despertado a linguagem do meu coração, e eu estava a ver as pessoas de uma maneira diferente. Talvez fossem os dias de solidão no mato, talvez fossem mesmo as Práticas de RAM . Mas podia sentir a presença de Eros Bom e Eros Mau, exactamente como Petrus tinha descrito.

– Repara como é curioso – disse Petrus, notando a mesma coisa. – Apesar de ser bom ou ser mau, a face de Eros nunca é a mesma em cada pessoa. Exactamente como as estrelas sobre as quais eu falava há meia hora atrás. E ninguém pode escapar a Eros. Todos têm necessidade da sua presença – apesar de muitas vezes Eros fazer com que nos sintamos distantes do mundo, fechados na nossa solidão.

A banda começou a tocar uma valsa. As pessoas foram para um pequeno espaço de cimento em frente ao coreto e começaram a dançar. O álcool começava a fazer-se sentir e todos estavam mais suados e mais alegres. Reparei numa rapariga vestida de azul, que devia ter esperado este casamento apenas para que chegasse o momento da valsa – porque queria dançar com alguém com quem sonhava estar abraçada, desde que entrou na adolescência. Os seus olhos seguiam os movimentos de um rapaz bem vestido, de fato claro, que estava numa roda de amigos. Todos conversavam alegremente e não tinham percebido que a valsa tinha começado, e que a alguns metros de distância uma jovem de azul olhava insistentemente para um deles.

Pensei nas cidades pequenas, nos casamentos sonhados desde a infância com o rapaz escolhido.

A rapariga de azul reparou no meu olhar e saiu da pista. Foi então a vez do rapaz procurá-la com os olhos. Assim que descobriu que ela estava perto de outras jovens, voltou a conversar animadamente com os amigos.

Chamei a atenção de Petrus para os dois. Ele acompanhou durante algum tempo o jogo de olhares, e depois voltou ao seu copo de vinho.

– Eles agem como se fosse uma vergonha mostrar que se amam – foi o seu único comentário.

Uma rapariga à nossa frente olhava fixamente para nós dois. Devia ter metade da nossa idade. Petrus levantou o copo de vinho e fez-lhe um brinde. A rapariga sorriu envergonhada, e fez um gesto apontando para os pais, quase a desculpar-se por não chegar mais perto.

– Este é o lado belo do amor – disse. – O amor que desafia, o amor de dois estranhos mais velhos que vieram de longe e amanhã já partiram. Para um mundo que ela gostaria também de percorrer.

Percebi pela voz de Petrus que o vinho tinha trepado um pouco.

– Hoje vamos falar de Amor! – disse o meu guia, num tom um pouco alto. – Vamos falar deste amor verdadeiro, que está sempre a crescer, a mover o mundo e a fazer o homem sábio!

Uma mulher perto de nós, bem vestida, parecia não estar a prestar atenção nenhuma à festa. Ia de mesa em mesa a arrumar os copos, os pratos e os talheres.

– Repara na senhora ali – disse Petrus – que não pára de arrumar as coisas. Como te disse antes, existem muitas faces de Eros, e esta também é uma delas. É o amor frustrado, que se realiza na infelicidade alheia. Vai beijar o noivo e a noiva, mas por dentro estará murmurando que um não foi feito para o outro. Está a tentar colocar o mundo em ordem porque ela mesma está em desordem. E ali – apontou para outro casal; a mulher exageradamente maquilhada e com o cabelo todo arranjado – é o Eros aceite. O Amor social, sem qualquer vestígio de emoção. Ela aceitou o seu papel e cortou todos os laços com o mundo e o Bom Combate.

– Estás a ser muito amargo, Petrus. Não existe ninguém aqui que se salve?

– Claro que existe. A jovem que nos olhou. Os adolescentes que estão a dançar e que só conhecem o Eros Bom. Se eles não se deixarem influenciar pela hipocrisia do Amor que dominou a geração passada, o mundo com toda a certeza vai ser outro.

Ele apontou para um casal de velhos, sentado a uma mesa.

– E aqueles dois também. Não se deixaram contagiar pela hipocrisia, como muitos outros. Pela aparência deve ser um casal de lavradores. A fome e a necessidade obrigou-os a trabalharem juntos. Aprenderam as Práticas que estás a conhecer sem nunca terem ouvido falar em RAM. Porque tiraram a força do amor do próprio trabalho. Ali Eros mostra a sua face mais bela, porque está unido a Philos.

– O que é Philos?

– Philos é o Amor sob a forma de amizade. É aquilo que eu sinto por ti e pelos outros. Quando a chama de Eros não consegue já brilhar, é Philos que mantém os casais juntos.

– E Ágape?

– Hoje não é dia para falarmos de Ágape. Ágape está em Eros e em Philos, mas isso é apenas uma frase. Vamos divertir-nos nesta festa, sem tocar no Amor-que-Devora – e Petrus deitou mais vinho no seu copo de plástico.

Havia em torno de nós uma alegria que contagiava tudo. Petrus estava a ficar tonto, e no começo aquilo deixou-me um pouco chocado. Mas lembrei-me das suas palavras certa tarde, dizendo que as Práticas de RAM só teriam sentido se pudessem ser executadas por uma pessoa comum.

Petrus parecia-me, nesta noite, um homem como todos os outros. Estava camarada, amigo, a bater nas costas das pessoas e a conversar com quem lhe desse atenção. Pouco tempo depois estava tão tonto que tive que segurá-lo pelo braço e conduzi-lo ao hotel.

No caminho, dei-me conta da situação. Eu estava a guiar o meu guia. Percebi que em nenhum momento de toda a nossa jornada, Petrus tinha feito qualquer esforço para parecer mais sábio, mais santo, ou melhor do que eu. Tudo o que tinha feito era transmitir a sua experiência com as Práticas de RAM. Mas de resto, fazia questão de mostrar que era um homem como todos os outros, que sentia Eros, Philos e Ágape.

Isto fez com que me sentisse mais forte. Era das pessoas comuns o Caminho de Santiago.

O ENTUSIASMO

– Ainda que eu fale a língua dos homens e dos anjos; ainda que eu tenha o dom de profetizar e tenha fé a ponto de mover montanhas, se não tiver amor, nada serei. Petrus vinha de novo com São Paulo. Para ele o Apóstolo era o grande intérprete oculto da mensagem de Cristo. Estávamos a pescar naquela tarde, depois de termos passado a manhã inteira a caminhar. Nenhum peixe mordera a isca, mas o meu guia não dava a menor importância a isso. Segundo ele, o exercício da pesca era mais ou menos um símbolo da relação do homem com o mundo: sabemos o que queremos, e vamos conseguir se insistirmos, mas o tempo para chegar ao objectivo depende da ajuda de Deus.

– É sempre bom fazer alguma coisa lenta antes de alguma decisão importante na vida – disse ele. – Os monges zen ficam a escutar as rochas a crescer. Eu prefiro pescar.

Mas àquela hora, com o calor que fazia, até os peixes vermelhos e preguiçosos – quase à flor da água – não ligavam nenhuma ao anzol. Estar com a linha dentro ou fora da água dava no mesmo. Resolvi desistir e dar um passeio pelas redondezas. Fui até um velho cemitério abandonado perto do rio – com uma porta absolutamente desproporcionada para o seu tamanho – e voltei para junto de Petrus. Interroguei-o sobre o cemitério.

– A porta era de um antigo Hospital de peregrinos – disse ele. – Mas foi abandonado e mais tarde alguém teve a ideia de aproveitar a fachada e construir o cemitério.

– Que também está abandonado.

– Assim é. As coisas nesta vida duram muito pouco.

Eu disse que ele tinha sido muito duro na noite anterior, quando tinha julgado as pessoas na festa. Petrus ficou admirado. Afirmou que o que tínhamos conversado não era nem mais nem menos do que o que nós mesmos já tínhamos experimentado nas nossas vidas pessoais. Todos nós corremos em busca de Eros, e quando Eros se quer transformar em Philos, achamos que o Amor é inútil. Sem perceber que Philos é que nos conduzirá até à forma do amor maior, Ágape.

– Fala-me mais de Ágape – pedi.

Petrus respondeu que Ágape não podia ser falado, precisava de ser vivido. Se houvesse oportunidade, ele ir-me-ia mostrar ainda naquela tarde uma das faces de Ágape. Mas para isso, era preciso que o Universo se comportasse como o exercício da pesca: colaborando para que tudo corresse bem.

– O que é isso?

– A faísca divina. O que as pessoas chamam de Sorte.

Quando o sol amainou um pouco, recomeçámos a caminhada. A Rota Jacobeia atravessava algumas vinhas e campos cultivados, que estavam completamente desertos àquela hora do dia. Cruzámos a estrada principal – também deserta – e voltámos para o mato. À distância podia ver o pico de San Lorenzo, o ponto mais alto do reino de Castela. Muita coisa havia mudado em mim desde que tinha encontrado Petrus pela primeira vez, perto de Saint-Jean Pied-de--Port. O Brasil, os negócios para realizar, quase se tinham apagado por completo da minha mente. A única coisa viva era o meu objectivo, discutido todas as noites com Astrain, que cada vez me aparecia mais nítido. Conseguia vê-lo sempre sentado ao meu lado, percebia que tinha um tique nervoso no olho direito, e que costumava sorrir com desdém sempre que eu repetia algumas coisas para certificar-me de que tinha entendido. Há algumas semanas atrás – principalmente nos primeiros dias – eu chegara a temer que alguma vez conseguisse completar o caminho. Na altura em que passámos por Roncesvalles, tinha sentido um profundo tédio por tudo aquilo, e um desejo de chegar logo a Santiago, recuperar a minha espada, e voltar para travar aquilo que Petrus chamava o Bom Combate*. Mas agora, os apegos da civilização tão a contragosto abandonados, já estavam quase esquecidos.

Naquele momento, tudo o que me preocupava era o sol sobre a minha cabeça, e a excitação de experimentar Ágape.

Descemos um barranco e cruzámos um arroio, fazendo um grande esforço para subir pela margem oposta. Aquele arroio deve ter sido no passado um bravo rio, rugindo e cavando o solo em busca das profundezas e dos segredos da terra. Agora era apenas um arroio que podia ser atravessado a pé. Mas a sua obra, a imensa vala que tinha cavado, ainda estava ali, e obrigava-me a fazer um grande esforço para vencê-la. «Tudo nesta vida dura muito pouco», dissera Petrus algumas horas antes.

– Petrus, já amaste muito?

A pergunta saiu de maneira espontânea, e surpreendi-me com a minha coragem. Até àquele momento, sabia apenas o essencial sobre a vida privada do meu guia.

– Já tive muitas mulheres, se é isso que queres dizer. E amei muito cada uma delas. Mas senti a sensação de Ágape com apenas duas.

Contei-lhe que também havia amado muito, e estava a começar a ficar preocupado porque não conseguia fixar-me em ninguém. Se continuasse assim, ia ter uma velhice solitária e tinha muito medo disso.

– Contrata uma enfermeira – riu. – Mas enfim, não acredito que estejas a buscar no amor uma aposentadoria confortável.

Eram quase nove da noite quando começou a escurecer. Os campos de videiras tinham ficado para trás, e estávamos no meio de uma paisagem quase desértica. Olhei em volta e pude distinguir, ao longe,

---

* Na verdade, vim a descobrir depois, o termo tinha sido criado por São Paulo.

uma pequena ermida encravada numa rocha, semelhante a muitas ermidas que tínhamos visto no caminho. Andámos mais um pouco e desviámo-nos das marcas amarelas, seguindo a direito até à pequena construção.

Quando nos aproximámos o suficiente, Petrus gritou um nome que não entendi e parou para escutar a resposta. Apesar dos ouvidos atentos, não escutámos nada. Petrus tornou a chamar e ninguém respondeu.

– Vamos assim mesmo – disse ele. E dirigimo-nos para lá.

Eram apenas quatro paredes caiadas de branco. A porta estava aberta – melhor dizendo, não havia porta, mas uma pequena cancela de meio metro de altura, sustentando-se precariamente apenas numa dobradiça. Dentro havia um fogão feito de pedras e algumas tigelas cuidadosamente empilhadas no chão. Duas delas estavam cheias de trigo e batatas.

Sentámo-nos em silêncio. Petrus acendeu um cigarro e disse para esperarmos um pouco. Percebi que as minhas pernas doíam de cansaço, mas alguma coisa naquela ermida, ao invés de acalmar-me, excitava-me. E ter-me-ia amedrontado também, se não fosse a presença de Petrus.

– Seja quem for que viva aqui, onde dorme? – perguntei, quebrando aquele silêncio que começava a fazer-me mal.

– Aí onde estás sentado – disse Petrus, apontando para o chão nu. Eu fiz menção de mover-me do local, mas ele pediu-me que permanecesse exactamente onde estava. A temperatura devia ter caído um pouco, pois comecei a sentir frio.

Esperámos durante quase uma hora inteira. Petrus ainda chamou duas vezes aquele nome estranho, e depois desistiu. Quando pensei que nos levantaríamos para ir embora, ele começou a falar.

– Aqui está presente uma das duas manifestações de Ágape – disse enquanto apagava o seu terceiro cigarro. – Não é a única, mas é uma das mais puras. Ágape é o amor total, o Amor-Que-Devora quem o experimenta. Quem conhece e experimenta Ágape, vê que nada mais neste mundo tem importância, apenas amar. Este foi o amor que Jesus sentiu pela humanidade, e foi tão grande que sacudiu as estrelas e mudou o curso da história do homem. A sua vida solitária conseguiu fazer o que reis, exércitos e impérios não conseguiram.

»Durante os milénios da história da Civilização, muitas pessoas foram tomadas por este Amor-Que-Devora. Elas tinham tanto para dar – e o mundo exigia tão pouco – que foram obrigadas a procurar os desertos e os lugares isolados, porque o Amor era tão grande que as transfigurava. Tornaram-se nos santos ermitões que nós hoje conhecemos.

Para mim e para ti, que experimentámos outra forma de Ágape, esta vida aqui pode parecer dura, terrível. Entretanto, o Amor-Que-Devora faz com que tudo – absolutamente tudo – perca a importância. Estes homens vivem apenas para serem consumidos pelo seu Amor.

Petrus contou-me que ali vivia um homem chamado Alfonso. Que o tinha conhecido na sua primeira peregrinação a Compostela, enquanto colhia frutas para comer. O seu guia, um homem muito mais iluminado que ele, era amigo de Alfonso e os três tinham feito juntos o Ritual de Ágape, o Ritual do Globo Azul. Petrus disse que tinha sido uma das experiências mais importantes da vida dele. Ainda hoje, quando fazia este exercício, lembrava-se da ermida e de Alfonso. Havia um tom de emoção na sua voz, e era a primeira vez que eu percebia isso.

– Ágape é o Amor-Que-Devora – repetiu mais uma vez, como se esta fosse a frase que melhor definisse aquela estranha espécie de amor. – Luther King, certa vez, disse que quando Cristo falou de amar os inimigos, referia-se a Ágape. Porque, segundo ele, era «impossível gostar dos nossos inimigos, daqueles que nos fazem mal, e que tentam amesquinhar o nosso sofrido dia-a-dia.» Mas Ágape é muito mais que gostar. É um sentimento que invade tudo, que preenche todas as frestas, e faz com que qualquer tentativa de agressão se torne pó.

»Aprendeste a renascer, a não ser cruel contigo mesmo, a conversar com o teu Mensageiro. Mas tudo o que fizeres daqui por diante, tudo o que conseguires tirar de proveitoso do Caminho de Santiago, só terá sentido se fores tocado pelo Amor-Que-Devora.

Lembrei a Petrus que ele dissera que existiam duas formas de Ágape. E que ele provavelmente não experimentara esta primeira forma, já que não se tinha transformado em ermitão.

– Estás certo. Tanto eu como tu, e como a maioria dos peregrinos que percorreram o Caminho de Santiago através das palavras de RAM, experimentaram Ágape na sua outra forma: o Entusiasmo.

»Entre os Antigos, Entusiasmo significa transe, arrebatamento, ligação com Deus. O Entusiasmo é Ágape dirigido a alguma ideia, a alguma coisa. Todos nós já passámos por isso. Quando amamos e acreditamos do fundo da nossa alma em algo, nos sentimentos mais fortes que o mundo, e somos tomados de uma serenidade que vem da certeza de que nada poderá vencer a nossa fé. Esta força estranha faz com que sempre tomemos as decisões certas, na hora exacta, e quando atingimos o nosso objectivo ficamos surpreendidos com a nossa própria capacidade. Porque, durante o Bom Combate, nada mais tem importância, estamos a ser levados através do Entusiasmo até à nossa meta.

»O Entusiasmo manifesta-se normalmente com todo o seu poder nos primeiros anos das nossas vidas. Ainda temos um laço forte com a divindade, e atiramo-nos com tal vontade aos nossos brinquedos, que as bonecas passam a ter vida e os soldadinhos de chumbo conseguem marchar. Quando Jesus disse que era das crianças o reino dos Céus, ele referia-se a Ágape sob a forma de Entusiasmo. As crianças chegaram até ele sem ligar aos seus milagres, à sua sabedoria, aos fariseus e aos apóstolos. Vinham alegres, movidas pelo Entusiasmo.

Contei a Petrus que – justamente naquela tarde – percebi que estava completamente envolvido no Caminho de Santiago. Aqueles dias e noites pelas terras da Espanha quase me fizeram esquecer a minha espada, e tinham-se tornado uma experiência única. Tudo o mais tinha perdido importância.

– Hoje à tarde tentámos pescar e os peixes não morderam o anzol – disse Petrus. – Normalmente, deixamos que o Entusiasmo escape das nossas mãos nestas pequenas coisas, que não têm a menor importância diante da grandeza de cada existência. Perdemos o Entusiasmo por causa das nossas pequenas e necessárias derrotas durante o Bom Combate. E como não sabemos que o Entusiasmo é uma força maior, voltada para a vitória final, deixamos que ele escape pelos nossos dedos, sem notar que estamos a deixar escapar também o verdadeiro sentido das nossas vidas. Culpamos o mundo pelo nosso tédio, pela nossa derrota, e esquecemos que fomos nós que deixámos escapar esta força arrebatadora que justifica tudo, a manifestação de Ágape sob a forma de Entusiasmo.

O cemitério que havia perto do riacho voltou diante dos meus olhos. Aquele portal estranho, descomunalmente grande, era uma representação perfeita do sentido que se perdia. Por detrás daquela porta, apenas os mortos.

Como se adivinhasse o meu pensamento, Petrus começou a falar de algo parecido.

– Há alguns dias deves ter ficado surpreendido quando eu perdi a cabeça com um pobre rapaz que tinha derramado um pouco de café numas bermudas já imundas pela poeira da estrada. Na verdade, o meu nervosismo todo era porque vi nos olhos daquele jovem o Entusiasmo esvaindo-se, como se esvai o sangue pelos pulsos cortados. Vi aquele rapaz, tão forte e tão cheio de vida, a começar a morrer, porque dentro dele, a todo o momento, morria um pouco de Ágape. Tenho muitos anos de vida e já aprendi a conviver com estas coisas, mas aquele rapaz, pelo seu jeito e por tudo que pressenti que ele poderia trazer de bom para a humanidade, deixou-me chocado e triste. Tenho a certeza de que a minha agressividade feriu o seu brio, e conteve pelo menos por algum tempo a morte de Ágape.

»Da mesma maneira, quando transmutaste o espírito no cão daquela mulher, sentiste Ágape no seu estado puro. Foi um gesto nobre que me fez ficar contente por estar aqui e ser o teu guia. Por causa disso, pela primeira vez em todo o Caminho, eu vou participar de um exercício contigo.

E Petrus ensinou-me o Ritual de Ágape, O RITUAL DO GLOBO AZUL.

– Vou ajudar-te a despertar o Entusiasmo, a criar a força que se irá estender como uma bola azul em torno do planeta – disse ele. – Para mostrar que te respeito pela tua procura, e pelo que és.

Até àquele momento Petrus nunca tinha emitido qualquer opinião – nem a favor, nem contra – sobre a minha maneira de realizar os exercícios. Tinha-me ajudado a interpretar o primeiro contacto com o Mensageiro, tinha-me retirado do transe no Exercício da Semente, mas em nenhum momento se interessou pelos resultados que tinha conseguido. Mais de uma vez eu tinha-lhe perguntado porque não queria conhecer as minhas sensações, e ele tinha-me respondido que a sua única obrigação, como guia, era a de mostrar-me o Caminho e as PRÁTICAS DE RAM. Caber-me-ia desfrutar ou desprezar os resultados.

Quando ele disse que ia participar comigo do exercício, eu de repente senti-me indigno dos seus elogios. Conhecia as minhas falhas, e muitas vezes tinha duvidado da sua capacidade de conduzir-me pelo Caminho. Quis dizer tudo isto, mas ele interrompeu-me antes que começasse.

– Não sejas cruel contigo mesmo, ou não terás aprendido a lição que te ensinei antes. Sê gentil. Aceita um elogio que mereces.

Os meus olhos encheram-se de água. Petrus tomou-me pelas mãos e saímos. A noite estava escura, mais escura que normalmente. Eu sentei-me ao lado dele e começámos a cantar. A música surgia de dentro de mim, e ele acompanhava-me sem esforço. Comecei a bater palmas baixinho, enquanto balançava o corpo para a frente e para trás. As palmas foram aumentando de intensidade, e a música fluía solta de dentro de mim, um cântico de louvor ao céu escuro, à planície desértica, às rochas sem vida. Comecei a ver os Santos em que eu acreditava quando era criança, e que a vida tinha afastado de mim, porque também eu tinha morto uma grande parcela de Ágape. Mas agora o Amor-Que-Devora voltava generoso, e os Santos sorriam dos céus, com a mesma face e a mesma intensidade com que eu os via quando era criança.

O Ritual do Globo Azul

Senta-te confortavelmente e relaxa-te. Procura não pensar em nada.

1) Sente como é bom gostar de viver. Deixa que o teu coração se sinta livre, amigo, acima e além da mesquinhez dos problemas que devem estar a atingir-te. Começa a cantar uma canção da infância, baixinho. Imagina o teu coração a crescer, enchendo o teu quarto – e depois a tua casa – de uma luz azul intensa, brilhante.

2) Quando chegares a este ponto, começa a sentir a presença amiga dos Santos em que depositavas fé quando criança. Repara que eles estão presentes, chegando de todos os lugares, sorrindo e dando-te fé e confiança na vida.

3) Mentaliza os Santos a aproximar-se e a colocar as mãos sobre a tua cabeça, desejando-te amor, paz e comunhão com o mundo. A comunhão dos santos.

4) Quando esta sensação estiver bem intensa, sente que a luz azul é um fluxo que entra e sai de ti como um rio brilhante, em movimento. Esta luz azul começa a espalhar-se pela tua casa, depois pelo teu bairro, a tua cidade, o teu país, e envolve o mundo num imenso globo azul. Ela é a manifestação do Amor Maior, que está além das batalhas do dia-a--dia, mas que te reforça e te dá vigor energia e paz.

5) Mantém o máximo de tempo possível esta luz espalhada pelo mundo. O teu coração está aberto, espalhando Amor. Esta fase do exercício deve demorar no mínimo cinco minutos.

6) Vai pouco a pouco, saindo do transe e voltando à realidade. Os Santos ficarão por perto. A luz azul continuará espalhada pelo mundo.

Este Ritual pode e deve ser feito com mais de uma pessoa, se necessário. Neste caso, as pessoas devem estar com as mãos dadas.

Abri os braços para que Ágape fluísse, e uma corrente misteriosa de luz azul brilhante começou a entrar e a sair de mim, lavando toda a minha alma, perdoando os meus pecados. A luz espalhou-se primeiro pela paisagem, e depois envolveu o mundo, e comecei a chorar. Chorava, porque estava a reviver o Entusiasmo, era uma criança diante da vida, e nada naquele momento me poderia causar qualquer mal. Senti que uma presença chegava perto de nós e sentava-se à minha direita, e imaginei que era o meu Mensageiro, e que ele era o único que conseguia enxergar aquela luz tão forte, que saía e entrava de mim, e se espalhava pelo mundo.

A luz foi aumentando de intensidade, e senti que envolvia o mundo inteiro, penetrava em cada porta e em cada beco, atingia pelo menos por alguma fracção de segundo cada ser vivo.

Senti que seguravam as minhas mãos abertas e estendidas para os céus. Neste momento o fluxo de luz azul aumentou, e tornou-se tão forte que eu achei que ia desmaiar. Mas consegui mantê-lo por mais alguns minutos, até que a música que eu estava a cantar tivesse terminado.

Então descontraí-me, sentindo-me completamente exausto, mas livre e contente com a vida e com o que tinha acabado de experimentar. As mãos que seguravam as minhas soltaram-se. Percebi que uma delas era de Petrus, e pressenti no fundo do meu coração de quem era a outra mão.

Abri os olhos, e, ao meu lado, estava o monge Alfonso. Sorriu e disse-me *«buenas noches»*. Eu sorri também, tornei a pegar na sua mão e apertei-a com força contra o meu peito. Ele deixou que eu fizesse isso, e depois soltou-a com delicadeza.

Nenhum dos três falou. Algum tempo depois Alfonso levantou-se e caminhou novamente para a planície rochosa. Eu acompanhei-o com os olhos até que a escuridão o ocultou por completo.

Petrus quebrou o silêncio pouco depois. Não fez qualquer menção a Alfonso.

– Faz este exercício sempre que puderes, e aos poucos Ágape irá de novo habitar em ti. Repete antes de começar um projecto, nos primeiros dias de qualquer viagem, ou quando sentires que algo te emocionou muito. Se possível, faz juntamente com alguém de quem gostes. É um exercício para ser compartilhado.

Ali estava novamente o velho Petrus técnico, instrutor e guia, do qual eu sabia tão pouco. A emoção que havia mostrado dentro da cabana já havia passado. Todavia, quando tinha tocado a minha mão durante o exercício, eu tinha sentido a grandeza da sua alma.

Voltámos à ermida branca, onde estavam as nossas coisas.

– O seu ocupante já não volta hoje, acho que podemos dormir aqui – disse Petrus deitando-se. Eu desenrolei o saco de dormir, tomei um gole de vinho, e deitei-me também. Estava exausto com o Amor-Que-Devora. Mas era um cansaço livre de tensões e, antes de fechar os olhos, lembrei-me do monge barbado, magro, que me tinha desejado boa noite e que se tinha sentado ao meu lado. Em algum lugar lá fora este homem estava a ser consumido pela chama divina. Talvez por causa disso aquela noite estava tão escura – porque ele tinha condensado em si toda a luz do mundo.

A MORTE

– Os senhores são peregrinos? – perguntou a velha mulher que nos servia o pequeno almoço. Estávamos em Azofra, um lugarejo de pequenas casas com escudos medievais na fachada, e com uma fonte onde minutos antes tínhamos enchido os nossos cantis.

Respondi que sim, e os olhos da mulher mostraram respeito e orgulho.

– Quando eu era criança, passava por aqui pelo menos um peregrino por dia, a caminho de Compostela. Depois da Guerra e de Franco não sei o que houve, mas parece que a peregrinação parou. Deviam fazer uma estrada. Hoje as pessoas só gostam de andar de carro.

Petrus não disse nada. Tinha acordado de mau humor. Eu concordei com a mulher, e fiquei a imaginar uma estrada nova e alcatroada a subir montanhas e vales, automóveis com vieiras pintadas na capota, e lojas de *souvenirs* nas portas dos conventos. Acabei de tomar o café com leite e o pão com azeite. Olhando o Guia de Aymeric Picaud, calculei que na parte da tarde devíamos chegar a Santo Domingo de La Calzada, e eu planeava dormir no Parador Nacional*. Estava a gastar muito menos dinheiro do que tinha planeado, apesar de fazer sempre três refeições por dia. Era altura de cometer uma extravagância e dar ao meu corpo o mesmo tratamento que estava a dar ao meu estômago.

---

* Os Paradores Nacionais são antigos castelos e monumentos históricos, transformados pelo Governo Espanhol em hotéis de primeira categoria.

Tinha acordado com uma pressa estranha, com vontade de chegar depressa a Santo Domingo, uma sensação que dois dias antes, quando caminhávamos para a ermida, estava convencido de que não voltaria a ter. Petrus estava também mais melancólico, mais calado, que habitualmente, e eu não sabia se era por causa do encontro com Alfonso, dois dias antes. Senti uma grande vontade de invocar Astrain e conversar um pouco sobre aquilo. Mas nunca tinha feito a invocação da parte da manhã, e não sabia se ia dar resultado. Desisti da ideia.

Acabámos os nossos cafés e recomeçámos a caminhada. Passámos uma casa medieval com o seu brasão, as ruínas de uma antiga estalagem de peregrinos, e um parque provinciano nos limites do povoado. Quando me preparava para embrenhar-me de novo através dos campos, senti uma presença forte do meu lado esquerdo. Continuei a andar em frente, mas Petrus deteve-me.

– Não adianta fugir – disse. – Pára e enfrenta.

Fiz menção de soltar-me de Petrus e seguir adiante. O sentimento era desagradável, uma espécie de cólica na região do estômago. Por alguns momentos quis acreditar que era o pão com azeite, mas eu já o sentira antes, e não podia enganar-me. Tensão. Tensão e medo.

– Olha para trás – a voz de Petrus tinha um tom de urgência. Olha antes que seja tarde!

Eu virei-me de chofre. Ao meu lado esquerdo havia uma pequena casa abandonada, com a vegetação queimada pelo sol a invadir o seu interior. Uma oliveira levantava os seus galhos contorcidos para o céu. E entre a oliveira e a casa, a olhar fixamente para mim, estava um cão.

Um cão negro, o mesmo cão que eu tinha expulso da casa da mulher alguns dias atrás.

Perdi a noção da presença de Petrus e fiquei a olhar firme nos olhos do animal. Alguma coisa dentro de mim – talvez a voz de Astrain ou do meu anjo da guarda – dizia-me que se desviasse os olhos, ele atacar-me-ia. Ficámos assim, um a olhar dentro dos olhos do outro, intermináveis minutos. Eu sentia que, depois de ter experimentado toda a grandeza do Amor-Que-Devora, estava de novo diante das ameaças diárias e constantes da existência. Fiquei a pensar porque me tinha seguido o animal até tão longe. Que queria ele afinal, porque eu era um peregrino em busca de uma espada e não estava com vontade nem paciência de criar questões com pessoas ou animais pelo caminho. Tentei dizer tudo isto com os meus olhos – lembrando-me dos monges do convento que se comunicavam pela visão – mas o cão não se movia. Continuava a olhar-me fixamente, sem qualquer emoção, mas pronto para atacar-me se eu me distraísse ou mostrasse medo.

Medo! Percebi que o medo tinha desaparecido. Achava a situação demasiado estúpida para ter medo. O meu estômago estava contraído e tinha vontade de vomitar por causa da tensão, mas não estava com medo. Se estivesse, algo me dizia que os meus olhos denunciar-me-iam e o animal iria derrubar-me de novo – como tinha feito antes. Não devia desviar os olhos, nem mesmo quando pressenti que, por um pequeno caminho à minha direita, se aproximava um vulto.

O vulto parou por instantes, e depois caminhou directamente até nós. Atravessou exactamente a linha dos nossos olhares, e disse qualquer coisa que não consegui entender. Era uma voz feminina, e a sua presença era boa, amiga e positiva.

Na fracção de segundo em que o vulto se colocou entre os meus olhos e os olhos do cão, o meu estômago descontraiu-se. Eu tinha um amigo poderoso, que estava ali a ajudar-me naquela luta absurda e desnecessária. Quando o vulto acabou de passar, o cão tinha baixado os olhos. Dando um salto, correu para trás da casa abandonada e perdi-o de vista.

Só neste momento o meu coração disparou a bater de medo. A taquicardia foi tão grande que fiquei tonto e achei que ia desmaiar. Enquanto todo o cenário rodava, olhei para a estrada por onde alguns minutos antes Petrus e eu tínhamos passado, a procurar o tal vulto que me dera forças para derrotar o cão.

Era uma freira. Estava de costas, a caminhar para Azofra, e eu não podia ver-lhe o rosto, mas lembrei-me da sua voz e calculei que devia ter, no máximo, vinte e poucos anos. Olhei para o caminho por onde ela viera: era um pequeno atalho que não ia dar a lugar algum.

– Foi ela... foi ela quem me ajudou – murmurei enquanto a tontura aumentava.

– Não fiques a criar mais fantasias num mundo já tão extraordinário – disse Petrus, aproximando-se e apoiando-me por um braço. – Ela veio de um convento de Canas, que fica a uns cinco quilómetros daqui. É claro que não podes vê-lo.

O meu coração continuava a bater imenso, e convenci-me que ia passar mal. Estava demasiado aterrorizado para falar ou pedir explicações. Sentei-me no chão, e Petrus refrescou-me com água a testa e a nuca. Lembrei-me que ele tinha agido da mesma maneira quando saímos da casa da mulher – mas naquele dia eu chorava e sentia-me bem. Agora a sensação era exactamente o inverso.

Petrus deixou que eu descansasse o tempo suficiente. A água reanimou-me um pouco, e o enjoo começou a passar. Lentamente, as coisas voltavam ao normal. Quando me senti reanimado, Petrus pediu que caminhássemos um pouco, e obedeci. Andámos uns quinze minutos, mas a exaustão voltou. Sentámo-nos aos pés de um *rollo*, coluna medieval com uma cruz em cima, que marcava alguns trechos da Rota Jacobeia.

– O medo causou-te muito mais dano que o cão – disse Petrus, enquanto eu descansava.

Eu quis saber o porquê daquele encontro absurdo.

– Na vida e no Caminho de Santiago, existem certas coisas que acontecem independentemente da nossa vontade. No nosso primeiro encontro, disse-te que tinha lido no olhar do cigano o nome do demónio que terias de enfrentar. Fiquei muito admirado ao saber que esse demónio era um cão, mas não disse nada na ocasião. Só quando chegámos à casa da mulher – e manifestaste pela primeira vez o Amor-Que--Devora é que vi o teu inimigo.

»Quando afastaste o cão daquela mulher, não o colocaste em lugar nenhum. Nada se perde, tudo se transforma, não é verdade?

Não atiraste os espíritos a uma manada de porcos que se lançou no despenhadeiro, como fez Jesus. Simplesmente afastaste o cão. Agora tens essa força vaga sem rumo atrás de ti. Antes de encontrares a tua espada, terás que decidir se desejas ser escravo ou senhor dessa força.

O meu cansaço começou a passar. Respirei fundo, sentindo a pedra fria do *rollo* nas minhas costas. Petrus deu-me mais um pouco de água e prosseguiu:

– Os casos de obsessão acontecem quando as pessoas perdem o domínio das forças da terra. A maldição do cigano deixou aquela mulher com medo, e o medo abriu uma brecha por onde penetrou o Mensageiro do morto. Isto não é um caso comum, mas também não é um caso raro. Depende muito de como reages às ameaças dos outros.

Desta vez fui eu que recordei uma passagem da *Bíblia*. No livro de Job estava escrito: «Tudo aquilo que eu mais temia aconteceu-me.»

– Uma ameaça não pode provocar nada, se não é aceite. Ao travar o Bom Combate, nunca te esqueças disso. Assim como não deves esquecer que atacar ou fugir faz parte da luta. O que não faz parte da luta é ficar paralisado de medo.

Eu não sentira medo no momento. Estava admirado comigo mesmo e comentei o assunto com Petrus.

– Percebi isso. Caso contrário, o cão ter-te-ia atacado. E com quase toda a certeza teria vencido o combate. Porque o cão também não estava com medo. O mais engraçado, porém, foi a chegada daquela freira. Ao pressentir uma presença positiva, a tua fértil imaginação achou que alguém estava a chegar para ajudar-te. E essa tua fé salvou-te. Mesmo baseada num facto absolutamente falso.

Petrus tinha razão. Ele deu uma boa gargalhada e eu ri com ele. Levantámo-nos para recomeçar a caminhada. Já estava a sentir-me leve e bem disposto.

– Uma coisa, porém, é preciso que saibas – disse Petrus enquanto caminhávamos. – O duelo com o cão só pode acabar com a vitória de um dos dois. Ele tornará a aparecer, e da próxima vez procurará levar a luta até ao fim. Senão, o fantasma dele irá deixar-te preocupado para o resto dos teus dias.

No encontro com o cigano, Petrus tinha-me dito que conhecia o nome daquele demónio. Perguntei qual era.

– Legião – respondeu. – Porque são muitos.

Estávamos a andar por terras que os camponeses preparavam para a sementeira. Aqui e ali alguns lavradores manejavam bombas de água rudimentares, na luta secular contra o solo árido. Pelas margens do Caminho de Santiago, pedras empilhadas formavam muros que não acabavam nunca, que se cruzavam e se confundiam nos desenhos do campo. Pensei nos muitos séculos em que aquelas terras tinham sido trabalhadas, e mesmo assim ainda surgia sempre uma pedra para tirar, uma pedra que quebrava a lâmina do arado, que deixava manco o cavalo, que marcava de calos a mão do lavrador. Uma luta que recomeçava todos os anos e que não acabava nunca.

Petrus estava mais calado do que de costume, e lembrei-me que desde a manhã ele não dizia quase nada. Depois da conversa junto do *rollo* medieval, ele tinha-se fechado num mutismo e não respondia à maior parte das minhas perguntas. Eu queria saber melhor aquela história dos «muitos demónios». Ele tinha-me explicado antes que cada pessoa tem apenas um Mensageiro. Mas Petrus não estava com disposição para falar do assunto, e resolvi esperar uma oportunidade melhor.

Subimos uma pequena elevação, e ao chegar lá acima pude ver a torre principal da igreja de Santo Domingo de La Calzada. A visão deixou-me animado; comecei a sonhar com o conforto e a magia do Parador Nacional. Pelo que havia lido antes, o prédio tinha sido construído pelo próprio Santo Domingo para hospedar os peregrinos. Certa noite, tinha pernoitado ali São Francisco de Assis, na sua caminhada até Compostela. Tudo aquilo enchia-me de excitação.

Deviam ser quase sete horas da tarde quando Petrus pediu que parássemos. Lembrei-me de Roncesvalles, da caminhada lenta quando eu precisava tanto de um copo de vinho por causa do frio, e temi que ele estivesse a preparar algo semelhante.

– Um Mensageiro jamais irá ajudar-te a derrotar outro. Eles não são bons nem maus, como te disse antes, mas têm um sentimento de lealdade entre si. Não confies em Astrain para derrotar o cão.

Agora era eu que não estava disposto a falar de mensageiros. Queria chegar depressa a Santo Domingo.

– Os Mensageiros de pessoas mortas podem ocupar o corpo de alguém dominado pelo medo. Por isso é que, no caso do cão, eles são muitos. Vieram convidados pelo medo da mulher. Não apenas o do cigano assassinado, mas os diversos Mensageiros que vagueavam pelo espaço, à procura duma maneira de entrar em contacto com as forças da terra.

Só agora estava a responder à minha pergunta. Mas havia qualquer coisa no seu modo de falar que me parecia artificial, como se não fosse aquele o assunto que estava a querer conversar comigo. O meu instinto imediatamente me deixou de sobreaviso.

– O que queres, Petrus? – perguntei um pouco irritado.

O meu guia não respondeu. Saiu do caminho e dirigiu-se até uma árvore velha, quase sem folhas, que ficava algumas dezenas de metros dentro do campo, e era a única árvore visível em todo o horizonte. Como não tinha feito sinal para que o seguisse, fiquei em pé no caminho. E presenciei uma cena estranha: Petrus dava voltas em torno da árvore, e dizia qualquer coisa em voz alta, enquanto olhava para o chão. Quando acabou, fez sinal para eu me aproximar.

– Senta-te aqui – disse. Havia um tom diferente na sua voz, e eu não podia saber se era carinho ou pena.

– Fica aqui. Amanhã encontro-te em Santo Domingo de La Calzada.

Antes que eu pudesse dizer qualquer coisa, Petrus continuou:

– Qualquer dia destes – e garanto-te que não será hoje – terás que enfrentar o teu inimigo mais importante no Caminho de Santiago: o cão. Quando esse dia chegar, fica tranquilo que estarei por perto e dar-te-ei a força necessária para o combater. Mas hoje vais enfrentar um outro tipo de inimigo, um inimigo fictício que pode destruir-te ou ser o teu melhor companheiro: a Morte.

»O homem é o único ser na natureza que tem consciência de que vai morrer. Por isso, e apenas por isso, tenho um profundo respeito pela raça humana, e acredito que o seu futuro será melhor do que o seu presente. Mesmo sabendo que os seus dias estão contados e que tudo irá acabar quando menos se espera, ele faz da vida uma luta digna de um ser eterno. O que as pessoas chamam de vaidade – deixar obras, filhos, fazer com que o seu nome não seja esquecido – considero a máxima expressão da dignidade humana.

»Acontece que, criatura frágil, ele sempre tenta ocultar de si mesmo a grande certeza da Morte. Não vê que ela é que o motiva a fazer as melhores coisas da sua vida. Tem medo do passo no escuro, do grande terror do desconhecido, e a sua única maneira de vencer este medo é esquecer que os seus dias estão contados. Não percebe que, com a consciência da Morte, seria capaz de ousar muito mais, de ir muito mais longe nas suas conquistas diárias – porque não tem nada a perder, já que a Morte é inevitável.

A ideia de passar a noite em Santo Domingo já começava a parecer-me uma coisa distante. Eu acompanhava cada vez com mais interesse as palavras de Petrus. No horizonte, bem na nossa frente, o sol começou a morrer. Talvez também estivesse a escutar aquelas palavras.

– A Morte é a nossa grande companheira, porque é ela que dá o verdadeiro sentido às nossas vidas. Mas para poder ver a verdadeira face da nossa Morte, temos que conhecer antes todos os anseios e terrores que a simples menção do seu nome é capaz de despertar em qualquer ser vivo.

Petrus sentou-se debaixo da árvore e pediu-me que fizesse o mesmo. Disse que, momentos antes, tinha dado algumas voltas em torno do seu tronco porque recordava-se de tudo o que tinha passado quando era peregrino até Santiago. Depois, tirou da mochila duas sanduíches que tinha comprado à hora do almoço.

– Aqui onde estás não existe nenhum perigo – disse, entregando-me as sanduíches. – Não existem cobras venenosas, e o cão só voltará a atacar-te quando esquecer a derrota de hoje de manhã. Também não existem assaltantes ou criminosos pelas redondezas. Estás num lugar absolutamente seguro, com uma única excepção: o perigo do teu medo.

Petrus disse-me que dois dias atrás eu tinha experimentado uma sensação tão intensa e tão violenta como a Morte, que era o Amor--Que-Devora. E que, por momento nenhum, eu tinha vacilado ou sentido medo – porque eu não tinha preconceitos a respeito do amor universal. Mas todos nós temos preconceitos em relação à Morte, sem percebermos que ela é apenas mais uma manifestação de Ágape. Respondi-lhe que, com todos os anos de treinamento de magia, tinha praticamente perdido o medo da morte. Na verdade, dava-me mais pavor a maneira de morrer, do que a morte propriamente dita.

– Pois então, hoje à noite, experimenta a maneira mais pavorosa de morrer.

E Petrus ensinou-me o EXERCÍCIO DO ENTERRADO VIVO.

– Só deves fazê-lo uma vez – disse ele, enquanto eu me lembrava de um exercício de teatro muito parecido. – É preciso que despertes toda a verdade, todo o medo necessário para que o exercício possa surgir das raízes da tua alma, e deixar cair a máscara de horror que cobre a face gentil da tua Morte.

Petrus levantou-se, e eu vi a sua silhueta contra o fundo do céu incendiado pelo pôr do sol. Como eu permanecia sentado, ele dava a impressão de uma figura imponente, gigantesca.

– Petrus, tenho ainda uma pergunta.

– O que é?

– Hoje de manhã estavas calado e estranho. Pressentiste antes de mim a chegada do cão. Como é que isso foi possível?

– Quando experimentamos juntos o Amor-Que-Devora, compartilhamos o Absoluto. O Absoluto mostra a todos os homens o que realmente eles são, uma imensa teia de causas e efeitos, com cada pequeno gesto de um reflectindo na vida do outro. Hoje de manhã essa parcela do Absoluto ainda estava muito viva na minha alma. Estava a perceber não apenas o teu eu, mas tudo o que existe no mundo, sem limites de espaço ou de tempo. Agora, o efeito já está mais fraco, e só voltará da próxima vez que eu fizer o exercício do Amor-Que-Devora.

Lembrei-me do mau humor de Petrus naquela manhã. Se era verdade o que dizia, o mundo passava por um momento muito difícil.

– Esperarei por ti no Parador – disse enquanto se afastava. – Deixo o teu nome na recepção.

Acompanhei-o com os olhos enquanto pude. Nos campos à minha esquerda, os lavradores tinham acabado o serviço e voltavam para casa. Resolvi fazer o exercício assim que a noite caísse por completo.

Estava tranquilo. Era a primeira vez que ficava completamente sozinho desde que tinha começado a trilhar o Estranho Caminho de Santiago. Levantei-me e dei um passeio pelas imediações, mas a noite estava a cair rapidamente e resolvi voltar para a árvore, com medo de

O Exercício do Enterrado Vivo

Deita-te no chão e relaxa-te. Cruza as mãos sobre o peito, na postura de morto.

Imagina todos os detalhes do teu enterro, se ele fosse realizado amanhã. A única diferença é que estás a ser enterrado vivo. À medida que a história se desenrola – capela, caminhada até ao túmulo, descida do caixão, os vermes na sepultura – contrais cada vez mais todos os músculos, num esforço desesperado para te moveres. Mas não te movas. Até que, quando não aguentares mais, num movimento que envolva todo o teu corpo, atira para os lados as tábuas do caixão, respira fundo, e estás livre.

Este movimento terá mais efeito se for acompanhado de um grito, um grito saído das profundezas do teu corpo.

perder-me. Antes que a escuridão caísse por completo, marquei mentalmente a distância da árvore até ao Caminho. Como não havia qualquer luz que me pudesse ofuscar, seria perfeitamente capaz de ver o carreiro e chegar até Santo Domingo apenas com o brilho da pequena Lua nova que começava a mostrar-se no céu.

Até àquele instante eu não estava com nenhum medo, e achava que seria preciso muita imaginação para despertar em mim os receios de uma morte horrível. Mas não importa quantos anos se viva; quando a noite cai ela traz consigo temores escondidos na nossa alma desde criança. Quanto mais escuro ficava, mais me sentia desconfortável.

Estava ali sozinho no campo e, se gritasse, ninguém me escutaria. Lembrei-me de que poderia ter tido um colapso naquela manhã. Nunca, em toda a minha vida, tinha sentido o meu coração tão descontrolado.

E se eu tivesse morrido? A vida teria acabado, era a conclusão mais lógica. Durante o meu caminho na Tradição, já conversara com muitos espíritos. Tinha a certeza absoluta da vida após a morte, mas nunca me ocorrera perguntar como é que essa transição se dava. Passar de uma dimensão para a outra, por mais preparado que se esteja, deve ser terrível. Se tivesse morrido naquela manhã, por exemplo, não teria o menor sentido o Caminho de Santiago, os anos de estudo, as saudades da família, o dinheiro escondido no meu cinto. Lembrei-me de uma planta que tinha em cima da mesa de trabalho, no Brasil. A planta continuaria, como continuariam as outras plantas, os autocarros, o vendedor da esquina que vendia sempre mais caro, a telefonista que me informava dos números fora da lista. Todas estas pequenas coisas –que podiam desaparecer se eu tivesse tido um colapso naquela manhã – ganharam de repente uma enorme importância para mim. Eram elas, e não as estrelas ou a sabedoria, que me diziam que eu estava vivo.

A noite agora estava bem escura, e no horizonte eu podia distinguir o brilho débil da cidade. Deitei-me no chão e fiquei a olhar os galhos da árvore acima da minha cabeça. Comecei a ouvir estranhos ruídos, ruídos de toda a espécie. Eram os animais nocturnos que saíam para a caçada. Petrus não podia saber tudo, se ele era tão humano quanto eu. Que garantia podia eu ter de que realmente não existiam serpentes venenosas? E os lobos, os eternos lobos europeus, não podiam ter resolvido passear naquela noite por ali, sentindo o meu cheiro? Um ruído mais forte, semelhante a um galho a quebrar, assustou-me e o meu coração começou de novo a bater forte.

Estava a ficar muito tenso, o melhor era fazer imediatamente o exercício e ir para o hotel. Comecei a descontrair-me e cruzei as mãos sobre o peito, na postura de morto. Qualquer coisa ao meu lado se mexeu. Dei um pulo e fiquei imediatamente de pé.

Não era nada. A noite tinha invadido tudo, e tinha trazido consigo os terrores do homem. Deitei-me de novo, desta vez decidido a transformar qualquer medo num estímulo para o exercício. Percebi que apesar da temperatura ter baixado bastante, estava a suar.

Imaginei o caixão a ser fechado, e os parafusos colocados no lugar. Eu estava imóvel, mas estava vivo, e tinha vontade de dizer para a minha família que estava a ver tudo, que os amava, mas nenhum som saía da minha boca. O meu pai, a minha mãe a chorar, os amigos à minha volta, e eu estava sozinho! Com tanta gente querida ali, ninguém era capaz de perceber que eu estava vivo, que ainda não tinha feito tudo que desejava fazer neste mundo. Tentava desesperadamente abrir os olhos, fazer um sinal, dar uma pancada na tampa do caixão. Mas nada se movia no meu corpo.

Senti que o caixão balançava, estavam-me a transportar para o túmulo. Podia ouvir o ruído dos anéis a roçar nas alças de ferro, os passos das pessoas atrás, uma ou outra voz a conversar. Alguém disse que tinha um jantar mais tarde, outro comentou que eu tinha morrido cedo. O cheiro das flores em torno da minha cabeça começou a sufocar-me.

Lembrei-me que tinha deixado de cortejar duas ou três mulheres, temendo ser rejeitado. Lembrei-me também de algumas ocasiões em que tinha deixado de fazer o que queria, achando que o podia fazer mais tarde. Senti uma enorme pena de mim, não só porque estava a ser enterrado vivo, mas porque tinha tido medo de viver. Que razão tinha o medo de levar um «não», de deixar uma coisa para fazer depois, se o mais importante de tudo era gozar plenamente a vida? Ali estava eu trancado num caixão, e já era tarde de mais para voltar atrás e demonstrar a coragem que precisava ter tido.

Ali estava eu, que tinha sido o meu próprio Judas e me traíra a mim mesmo. Ali estava sem poder mover um músculo, a cabeça a gritar por socorro e as pessoas lá fora imersas na vida, preocupadas com o que iam fazer à noite, a olhar estátuas e edifícios que eu nunca mais tornaria a ver. Um sentimento de grande injustiça invadiu-me, por ter sido enterrado, enquanto os outros continuavam a viver. Melhor teria sido uma grande catástrofe, e todos nós juntos no mesmo barco, em direcção ao mesmo ponto negro para o qual me levavam agora. Socorro! Eu estou vivo, não morri, a minha cabeça continua a funcionar!

Colocaram o meu caixão na borda da sepultura. Vão-me enterrar! A minha mulher vai esquecer-me, vai casar com outro e vai gastar o dinheiro por que lutámos para juntar durante todos estes anos! Mas que importância tem isso? Eu quero estar com ela agora, porque estou vivo!

Ouço choros, sinto que dos meus olhos também rolaram duas lágrimas. Se eles abrissem o caixão agora, iam ver e iam salvar-me. Mas tudo o que sinto é o caixão a baixar à sepultura. De repente, tudo fica escuro. Antes entrava uma frestinha de luz pela borda do caixão, mas agora a escuridão é total. As pás dos coveiros estão a cimentar o túmulo, e eu estou vivo! Enterrado vivo! Sinto o ar ficar pesado, o cheiro das flores é insuportável, e ouço os passos das pessoas a afastarem-se. O terror é total. Não me consigo mexer, e se se forem embora agora em breve vai ser noite e ninguém me vai ouvir bater na tumba!

Os passos afastam-se, ninguém ouve os gritos que o meu pensamento dá, estou sozinho e a escuridão, o ar abafado, o cheiro das flores começam a enlouquecer-me. De repente, ouço um ruído. São os vermes, os vermes que se aproximam para devorar-me vivo. Tento com todas as minhas forças mover alguma parte do corpo, mas tudo permanece inerte. Os vermes começam a subir pelo meu corpo. São oleosos e frios. Passeiam pelo meu rosto, entram pelas minhas calças. Um deles penetra no meu ânus, outro começa a esgueirar-se pelo buraco do meu nariz. Socorro! Estou a ser devorado vivo e ninguém me escuta, ninguém me diz nada. O verme que entrou pelo nariz desce pela minha garganta. Sinto outro a entrar pelo ouvido. Preciso de sair daqui! Onde está Deus, que não responde? Começaram a devorar a minha garganta e eu nunca mais vou poder gritar! Estão a entrar por todas as partes, pelo ouvido, pelos cantos da boca, pelo buraco do pénis. Sinto aquelas coisas gosmentas e oleosas dentro de mim, tenho que gritar, tenho que me libertar! Estou trancado neste túmulo escuro e frio, sozinho, a ser devorado vivo! O ar está a faltar, e os vermes estão a comer-me! Tenho que mover-me. Tenho que arrebentar este caixão. Meu Deus, junta todas as minhas forças porque tenho que mover-me! Eu Tenho Que Sair Daqui; Tenho... Eu Vou Mover-me! Vou Mover-me!

Consegui!

As tábuas do caixão voaram para todos os lados, o túmulo desapareceu, e eu enchi o peito do ar puro do Caminho de Santiago. O meu corpo tremia da cabeça aos pés, empapado em suor. Mexi-me um pouco e percebi que os meus intestinos se tinham soltado. Mas nada disso tinha importância: eu estava vivo.

A tremura continuava e não fiz o menor esforço para controlá-la. Uma imensa sensação de calma interior invadiu-me, e senti uma espécie de presença ao meu lado. Olhei e vi o rosto da minha Morte. Não era a morte que eu tinha experimentado minutos antes, a morte criada pelos terrores e pela minha imaginação, mas a minha verdadeira Morte, amiga e conselheira, que não ia mais deixar-me ser cobarde nem um só dia da minha vida. A partir de agora, ela ia ajudar-me mais do que a mão e os conselhos de Petrus. Não ia mais permitir que eu deixasse para o futuro tudo aquilo que eu podia viver agora. Não me deixaria fugir das lutas da vida, e ia ajudar-me a travar o Bom Combate. Nunca mais, em momento algum, eu iria sentir-me ridículo ao fazer qualquer coisa. Porque ali estava ela a dizer que, quando pegasse nas minhas mãos para viajarmos até outros mundos, eu não devia carregar comigo o maior pecado de todos: o Arrependimento. Com a certeza da sua presença, a olhar o seu rosto gentil, tive a certeza de que ia beber com avidez da fonte de água viva que é esta existência.

A noite não tinha mais segredos nem terrores. Era uma noite feliz, uma noite de paz. Quando a tremura passou, levantei-me, e caminhei em direcção às bombas de água dos trabalhadores do campo. Lavei as bermudas e vesti outras que trazia na mochila. Depois, voltei para a árvore e comi as duas sanduíches que Petrus tinha deixado para mim. Era o alimento mais delicioso do mundo, porque eu estava vivo, e a Morte já não me assustava.

Resolvi dormir ali mesmo. Afinal, a escuridão nunca tinha sido tão tranquila.

Os Vícios Pessoais

Estávamos num campo imenso, um campo de trigo liso e monótono, que se estendia por todo o horizonte. A única coisa a quebrar o tédio da paisagem era uma coluna medieval encimada por uma cruz, que marcava o caminho dos peregrinos. Chegando à frente da coluna, Petrus largou a mochila no chão e ajoelhou-se. Pediu que eu fizesse o mesmo.

– Vamos rezar. Vamos rezar pela única coisa que derrota um peregrino, quando ele encontra a sua espada; os seus vícios pessoais. Por mais que ele aprenda com os Grandes Mestres como manejar a lâmina, uma das suas mãos será sempre o seu pior inimigo. Vamos rezar para que, caso consigas encontrar a tua espada, a segures sempre com a mão que não te escandaliza.

Eram duas horas da tarde. Não se ouvia nenhum ruído, e Petrus começou:

«Tende piedade, Senhor, porque somos peregrinos a caminho de Compostela, e isto pode ser um vício. Fazei em vossa infinita piedade com que jamais consigamos virar o conhecimento contra nós mesmos.

»Tende piedade dos que têm piedade de si mesmos, e se acham bons e injustiçados pela vida, porque não mereciam as coisas que lhes aconteceram – pois estes jamais vão conseguir travar o Bom Combate. E tende piedade dos que são cruéis consigo mesmos, e só vêem maldade nos próprios actos, e se consideram culpados pelas injustiças do mundo. Porque estes não conhecem a Tua lei que diz: "Até os fios da tua cabeça estão contados."

»Tende piedade dos que mandam e dos que prestam muitas horas de trabalho, e se sacrificam a troco de um Domingo onde está tudo fechado e não existe lugar onde ir. Mas tende piedade dos que santificam a sua obra e vão além dos limites da sua própria loucura, e terminam endividados ou pregados na cruz por seus próprios irmãos. Porque estes não conheceram a Tua lei que diz: "Sede prudentes como as serpentes e simples como as pombas."

»Tende piedade porque o homem pode vencer o mundo e nunca travar o Bom Combate consigo mesmo. Mas tende piedade dos que venceram o Bom Combate consigo mesmos, e agora estão pelas esquinas e bares da vida, porque não conseguiram vencer o mundo. Porque estes não conheceram a Tua lei que diz: "Quem observa as minhas palavras tem que edificar a sua casa na rocha."

»Tende piedade dos que têm medo de segurar na pena, no pincel, no instrumento, na ferramenta, porque acham que alguém já fez melhor que eles, e não se sentem dignos de entrar na mansão portentosa da Arte. Mas tende mais piedade dos que seguraram na pena, no pincel, no instrumento e na ferramenta, e transformaram a Inspiração numa forma mesquinha de se sentirem melhores do que os outros. Estes não conheceram a Tua lei que diz: "Nada está oculto senão para ser manifestado, e nada se faz escondido senão para ser revelado."

»Tende piedade dos que comem, e bebem, e se fartam, mas são infelizes e solitários na sua fartura. Mas tende mais piedade dos que jejuam, censuram, proíbem e sentem-se santos, e vão pregar o Teu nome pelas praças. Porque estes não conhecem a Tua lei que diz: "Se eu testemunho a respeito de mim mesmo, o meu testemunho não é verdadeiro."

»Tende piedade dos que temem a Morte e desconhecem os muitos reinos por que caminharam e as muitas mortes que já morreram, e são infelizes porque pensam que tudo vai acabar um dia. Mas tende mais piedade dos que já conheceram as suas muitas mortes, e hoje julgam-se imortais, porque desconhecem a Tua lei que diz: "Quem não nascer de novo não poderá ver o Reino de Deus."

»Tende piedade dos que se escravizam pelo laço de seda do Amor, e julgam-se donos de alguém, e sentem ciúmes, e matam-se com veneno, e torturam-se porque não conseguem ver que o Amor muda como o vento e como todas as coisas. Mas tende mais piedade dos que morrem de medo de amar, e rejeitam o amor em nome de um Amor Maior que eles não conhecem, porque não conhecem a Tua lei que diz: "Quem beber desta água, nunca mais tornará a ter sede."

»Tende piedade dos que reduzem o Cosmos a uma explicação, Deus a uma poção mágica, e o homem a um ser com necessidades básicas que precisam de ser satisfeitas, porque estes nunca irão ouvir a música das esferas. Mas tende mais piedade dos que possuem a fé cega, e nos laboratórios transformam mercúrio em ouro, e estão cercados de livros sobre os segredos do Tarot e o poder das pirâmides. Porque estes não conhecem a Tua lei que diz: "É das crianças o reino dos céus."

»Tende piedade dos que não vêem ninguém além de si mesmos, e para quem os outros são um cenário difuso e distante quando passam pela rua nas suas limusinas, e se trancam em escritórios refrigerados no último andar, e sofrem em silêncio a solidão do poder. Mas tende mais piedade dos que abriram mão de tudo, e são caridosos, e procuram vencer o mal apenas com amor, porque estes desconhecem a Tua lei que diz: "Quem não tem espada, que venda a sua capa e compre uma."

»Tende piedade, Senhor, de nós que buscamos e ousamos empunhar a espada que prometestes, e que somos um povo santo e pecador, espalhado pela terra. Porque não reconhecemos a nós mesmos, e muitas vezes pensamos que estamos vestidos e estamos nus, pensamos que cometemos um crime e na verdade salvamos alguém. Não Vos esqueçais em Vossa piedade de todos nós que empunhamos a espada com a mão de um anjo e a mão de um demónio a segurar no mesmo punho. Porque estamos no mundo, continuamos no mundo e precisamos de Ti. Precisamos sempre da Tua lei que diz: "Quando vos mandei sem bolsa, sem alforge e sem sandálias, nada vos faltou."»

Petrus parou de rezar. O silêncio continuava. Ele estava a olhar fixamente o campo de trigo à nossa volta.

A CONQUISTA

Chegámos certa tarde às ruínas de um velho castelo da Ordem do Templo. Sentámo-nos a descansar, Petrus fumou o seu tradicional cigarro, e eu bebi um pouco do vinho que tinha sobrado do almoço. Olhei a paisagem à nossa volta: algumas casas de lavradores, a torre do castelo, o campo com ondulações, a terra aberta, preparada para a sementeira. De repente, à minha direita, passando pelos muros em ruínas, um pastor voltava dos campos, trazendo as suas ovelhas. O céu estava vermelho, e a poeira levantada pelos animais deixou a paisagem difusa, como se fosse um sonho, uma visão mágica. O pastor levantou a mão e fez um aceno. Nós respondemos.

As ovelhas passaram diante de nós e seguiram o seu caminho. Petrus levantou-se. A cena tinha-o impressionado.

– Vamos lá. Precisamos apressar-nos – disse ele.

– Porquê?

– Porque sim. Não achas que já estamos há muito tempo no Caminho de Santiago?

Mas algo me dizia que a sua pressa estava relacionada com a cena mágica do pastor e suas ovelhas.

Dois dias depois chegámos perto de umas montanhas que se elevavam ao Sul, quebrando a monotonia dos imensos campos cobertos de trigo. O terreno tinha algumas elevações naturais, mas estava bem sinalizado pelas marcas amarelas do Padre Expedito. Petrus, entretanto, sem me dar qualquer explicação, começou a afastar-se das marcas amarelas e a penetrar cada vez mais em direcção ao Norte. Chamei-lhe a atenção para o facto, e ele respondeu de uma maneira seca, dizendo que era o meu guia e sabia aonde estava a levar-me.

Depois de quase meia hora de caminhada comecei a ouvir um ruído semelhante ao de água caindo. Em volta havia apenas os campos queimados pelo sol, e comecei a imaginar que barulho seria aquele. Mas à medida que caminhávamos, o ruído aumentava cada vez mais, até não deixar qualquer sombra de dúvida de que vinha de uma cachoeira. A única coisa fora do comum é que eu olhava em volta e não podia ver nem montanhas, nem cachoeiras.

Foi quando, cruzando uma pequena elevação, me deparei com uma extravagante obra da natureza: numa depressão de terreno onde caberia um prédio de cinco andares, um lençol de água enfiava-se em direcção ao centro da terra. Pelas bordas do imenso buraco, uma vegetação luxuriante, completamente distinta da do local que eu estava a pisar, emoldurava a água a cair.

– Vamos descer aqui – disse Petrus.

Começámos a descer e lembrei-me de Júlio Verne, pois era como se caminhássemos em direcção ao centro da terra. A descida era íngreme e difícil, e tive que me segurar a galhos espinhosos e pedras cortantes para não cair. Cheguei ao fundo da depressão com os braços e as pernas todos arranhados.

– Bela obra da Natureza – disse Petrus.

Concordei. Um oásis no meio do deserto, com a vegetação espessa e gotas de água a formar o arco-íris, era tão belo visto de baixo como visto de cima.

– Aqui a Natureza mostra a sua força – insistiu ele.

– É verdade – concordei.

– E permite que demonstremos a nossa força também. Vamos subir esta cachoeira – disse o meu guia. – Pelo meio da água.

Olhei de novo para o cenário à minha frente. Já não conseguia ver o belo oásis, o capricho sofisticado da Natureza. Estava diante de um paredão de mais de quinze metros de altura, por onde a água caía com força ensurdecedora. O pequeno lago formado pela queda da água tinha um nível que não ultrapassava a altura de um homem em pé, já que o rio escoava com um barulho ensurdecedor para uma abertura que devia ir ter às profundezas da terra. Não havia nem pontos de paredão onde eu me pudesse agarrar, nem profundidade suficiente no pequeno lago, para amortecer a queda de alguém. Estava diante de uma tarefa absolutamente impossível.

Lembrei-me de uma cena acontecida cinco anos atrás, num ritual extremamente perigoso e que exigia – como este – uma escalada. O Mestre dera-me a oportunidade de decidir se queria continuar ou não. Eu era mais jovem, estava fascinado pelos poderes dele e pelos milagres da Tradição, e resolvi ir em frente. Era preciso demonstrar a minha coragem e a minha bravura.

Depois de quase uma hora a subir a montanha, quando estava diante da parte mais difícil, o vento surgiu com uma força inesperada e tive que me agarrar com todas as forças à pequena plataforma onde estava apoiado, para não me despenhar lá em baixo. Fechei os olhos, esperando o pior, e mantive as unhas cravadas na rocha. Qual não foi a minha surpresa ao reparar, no minuto seguinte, que alguém me ajudava a ficar numa posição mais confortável e segura. Abri os olhos e o Mestre estava ao meu lado.

Fez alguns gestos no ar, e o vento parou de súbito. Com uma agilidade misteriosa, na qual havia momentos de puro exercício de levitação, ele desceu a montanha e pediu-me que fizesse o mesmo.

Cheguei lá abaixo com as pernas a tremer, e perguntei indignado porque não tinha feito o vento parar antes de me atingir.

– Porque fui eu quem mandou soprar o vento – respondeu.

– Para me matar?

– Para salvar-te. Serias incapaz de subir esta montanha. Quando perguntei se querias subir, não estava a testar a tua coragem. Estava a testar a tua sabedoria.

»Criaste uma ordem que não te dei – disse o Mestre. – Se soubesses levitar, não haveria problema. Mas propuseste-te ser bravo, quando bastava ser inteligente.

Nesse dia ele falou-me de Magos que tinham enlouquecido no processo de iluminação, e que já não podiam distinguir entre os seus próprios poderes e os poderes dos seus discípulos. No decorrer da minha vida conheci grandes homens no terreno da Tradição. Cheguei a conhecer três grandes Mestres – incluindo o meu próprio – que eram capazes de levar o domínio do plano físico a situações muito além do que qualquer homem é capaz de sonhar. Vi milagres, presságios exactos do futuro, conhecimento de encarnações passadas. O meu Mestre falou-me da Guerra das Malvinas dois meses antes dos argentinos invadirem as ilhas. Descreveu tudo com detalhes, e explicou-me o porquê – no plano astral – daquele conflito.

Mas a partir daquele dia, comecei a notar que além disso existem Magos, como disse o Mestre, «enlouquecidos no processo de iluminação». São pessoas em quase tudo iguais aos Mestres, inclusive nos poderes: vi um deles fazer uma semente germinar em quinze minutos de concentração extrema. Mas este homem – e alguns outros – já tinham levado muitos discípulos à loucura e ao desespero. Havia casos de pessoas que tinham ido parar a hospitais psiquiátricos, e pelo menos uma história confirmada de suicídio. Estes homens estavam na chamada «lista negra» da Tradição, mas era impossível manter controlo sobre eles, e sei que muitos continuam a actuar ainda hoje.

Toda esta história me passou pela cabeça numa fracção de segundo, ao olhar aquela cachoeira impossível de ser escalada. Pensei no tempo imenso em que eu e Petrus tínhamos caminhado juntos, lembrei-me do cão que me atacou e não lhe causou nenhum dano, do descontrolo no restaurante com o rapaz que nos servia, da bebedeira na festa de casamento. Só me conseguia lembrar destas coisas.

– Petrus, eu não vou subir esta cachoeira de maneira nenhuma. Por uma única razão: é impossível.

Ele não respondeu nada. Sentou-se na relva verde e eu fiz o mesmo. Ficámos quase quinze minutos em silêncio. O seu silêncio desconcertou-me, e tomei a iniciativa de falar de novo.

– Petrus, eu não quero subir esta cachoeira porque vou cair. Eu sei que não vou morrer, pois quando vi a face da minha Morte, vi também o dia em que ela vai chegar. Mas eu posso cair e ficar aleijado para o resto da vida.

– Paulo, Paulo... – ele olhou-me e sorriu. Tinha mudado por completo. Havia na sua voz um pouco de Amor-Que-Devora, e os seus olhos estavam brilhantes.

– Irás dizer que estou a romper um juramento de obediência que fiz antes de começar o Caminho?

– Não, não estás a romper esse juramento. Não estás com medo, nem com preguiça. Tão-pouco deves ter pensado que te estou a dar uma ordem inútil. Não queres subir porque deves estar a pensar nos Magos Negros*. Usar do teu poder de decisão não significa romper um juramento. Esse poder nunca é negado ao peregrino.

Olhei para a cachoeira e tornei a olhar para Petrus. Eu avaliava as possibilidades de subir e não encontrava nenhuma.

– Presta atenção – continuou ele. – Eu vou subir antes de ti, sem utilizar nenhum Dom. E vou conseguir. Se eu conseguir, simplesmente porque soube onde colocar os pés, terás que fazer o mesmo. Desta maneira eu anulo o teu poder de decisão. Se te recusares, depois de me ver subir, é porque estás a quebrar o juramento.

Petrus começou a tirar os ténis. Ele era pelo menos dez anos mais velho do que eu, e se conseguisse subir, eu não tinha mais nenhum argumento. Olhei a cachoeira e senti um frio na barriga.

---

* Nome dado, na Tradição, aos Mestres que perderam o contacto mágico com o discípulo, conforme explicado anteriormente neste mesmo capítulo. Também se usa a expressão para designar Mestres que detiveram o seu processo de conhecimento depois de dominarem apenas as forças da Terra.

Mas ele não se moveu. Apesar de descalço, continuou sentado no mesmo lugar. Começou a olhar o céu e disse:

– A alguns quilómetros daqui houve, em 1502, a aparição da Virgem a um pastor. Hoje é a sua festa – a festa da Virgem do Caminho – e eu vou oferecer-lhe a minha conquista. Aconselho-te a fazer o mesmo. Oferecer-lhe uma conquista. Não ofereças a dor dos teus pés nem os ferimentos das tuas mãos nas pedras. O mundo inteiro oferece apenas a dor das suas penitências. Não há nada de condenável nisso, mas creio que ela ficaria feliz se, além das dores, os homens lhe oferecessem também as suas alegrias.

Eu não estava com nenhuma disposição de falar. Continuava a duvidar da capacidade de Petrus em subir o paredão. Achei que tudo aquilo era uma farsa, e que na verdade ele estava a envolver-me com a sua maneira de falar, para depois me obrigar a fazer o que não queria. Por via das dúvidas – porém – fechei os olhos por um instante e rezei à Virgem do Caminho. Prometi que, se Petrus e eu subíssemos o paredão, voltaria àquele lugar algum dia.

– Tudo o que aprendeste até agora só tem sentido se aplicado a alguma coisa. Lembra-te que eu te disse que o Caminho de Santiago é o caminho das pessoas comuns. Disse isso milhares de vezes. No Caminho de Santiago, e na própria vida, a sabedoria só tem valor se puder ajudar o homem a vencer um obstáculo.

»Um martelo não teria sentido no mundo se não existissem pregos para ele martelar. E mesmo existindo pregos, o martelo continuaria sem função se me limitasse a pensar: "Eu posso enfiar aqueles pregos com dois golpes." O martelo tem que agir. Entregar-se à mão do Dono e ser utilizado na sua função.

Lembrei-me das palavras do Mestre em Itatiaia: «Quem possui uma espada, tem que estar constantemente a colocá-la à prova, para que ela não enferruje na bainha.»

– A cachoeira é o lugar onde vais colocar em prática tudo o que aprendeste até agora – disse o meu guia. – Uma coisa já tens a teu favor: conheces a data da tua Morte, e este medo não te deixará paralisado quando precisares de decidir rapidamente onde te apoiares. Mas lembra-te que terás que trabalhar com a água, e construir nela tudo o que precisas; de que precisas de cravar a unha no polegar se algum pensamento mau te dominar.

»E sobretudo, que tens que apoiar-te, a cada instante da subida, no Amor-Que-Devora, porque ele é quem guia e justifica todos os teus passos.

Petrus parou de falar. Tirou a camisa, as bermudas, e ficou completamente nu. Depois entrou na água fria da pequena lagoa, molhou-se todo, e abriu os braços para o céu. Vi que estava contente, a aproveitar a frescura da água e o arco-íris que as gotas formavam ao nosso redor.

– Mais uma coisa – disse ele antes de entrar por debaixo do céu da cachoeira. – Esta queda de água ensinar-te-á a maneira de ser mestre. Eu vou subir, mas existe um véu de água entre nós. Eu subirei sem que possas ver ao certo onde coloco os meus pés e as minhas mãos.

»Da mesma forma, um discípulo nunca pode imitar os passos do seu guia. Porque cada um tem uma maneira de ver a vida, de conviver com as dificuldades e com as conquistas. Ensinar é mostrar que é possível. Aprender é tornar possível a si mesmo.

E não disse mais nada. Entrou para debaixo do véu da cascata e começou a subir. Eu via apenas o seu vulto, como se vê alguém através de um vidro fosco. Mas percebi que ele estava a subir. Lenta e inexoravelmente, progredia em direcção ao alto. Quanto mais ele chegava perto do final, mais medo eu tinha, porque ia chegar o momento de fazer o mesmo. Finalmente, o instante mais terrível chegou: emergir através da água que caía, sem saltar para a margem. A força da água deveria atirá-lo ao chão. Mas a cabeça de Petrus emergiu lá em cima, e a água que caía, passou a ser o seu manto prateado. A visão durou muito pouco, porque num movimento rápido ele atirou todo o seu corpo para cima, agarrando-se de qualquer maneira à borda do planalto – mas ainda dentro do curso de água. Perdi-o de vista por alguns instantes.

Finalmente Petrus apareceu numa das margens. Estava com o corpo molhado, cheio da luz do sol, e sorria.

– Vamos! – gritou ele acenando com as mãos. – Agora é a tua vez. Agora era a minha vez. Ou teria que renunciar para sempre à minha espada.

Tirei toda a roupa e rezei de novo à Virgem do Caminho. Depois, mergulhei de cabeça na água. Estava gelada e o meu corpo ficou rígido com o impacto, mas logo senti uma sensação agradável, de estar vivo. Sem pensar muito, caminhei em direcção à cachoeira.

O impacto da água na minha cabeça devolveu-me o absurdo «sentido da realidade», que enfraquece o homem na hora em que é mais necessária a sua fé e a sua força. Percebi que a cachoeira era muito mais forte do que eu tinha pensado, e que se caísse em cheio em cima do meu peito, era capaz de me derrubar mesmo estando com os dois pés apoiados na segurança do lago. Atravessei a corrente e fiquei entre a pedra e a água, num pequeno espaço onde cabia exclusivamente o meu corpo, colado à rocha. E aí vi que a tarefa era mais fácil do que eu pensara.

A água não batia naquele lugar, e o que me parecera um paredão polido por fora, era na verdade uma pedra cheia de reentrâncias. Fiquei tonto só de pensar que poderia ter renunciado à minha espada com medo de uma pedra lisa, quando na verdade era um tipo de rocha que já escalara dezenas de vezes. Parecia estar a ouvir a voz de Petrus a dizer: «Estás a ver? Um problema depois de resolvido fica de uma simplicidade aterradora.»

Comecei a subir com o rosto colado à rocha húmida. Em dez minutos já vencera quase todo o caminho. Faltava apenas uma coisa: o final, o lugar onde a água passava antes de se despenhar lá em baixo. A vitória conquistada naquela subida não adiantaria nada se eu não conseguisse vencer o pequeno trecho que me separava do ar livre. Ali estava o perigo, e era um perigo que eu não tinha visto bem como Petrus tinha dominado. Tornei a rezar À Virgem do Caminho, uma virgem sobre a qual nunca tinha ouvido falar antes, e que no entanto era naquele momento toda a minha fé, toda a minha esperança na vitória. Com todo o cuidado, comecei a colocar os cabelos, e depois a cabeça, na torrente de água que rugia por cima de mim. A água envolveu-me por completo e turvou a minha visão. Senti o seu impacto e agarrei-me firmemente à rocha, abaixando a cabeça, de maneira que pudesse formar uma bolsa de ar onde respirar. Confiava totalmente nas minhas mãos e nos meus pés. As mãos já tinham segurado uma velha espada, e os pés tinham feito o Estranho Caminho de Santiago. Eram meus amigos, e estavam a ajudar-me. Mesmo assim, o barulho da água nos ouvidos era ensurdecedor, e comecei a ter dificuldades de respiração. Resolvi atravessar com a cabeça a corrente, e por alguns segundos tudo à minha volta ficou negro. Lutava com todas as minhas forças para manter os pés e as mãos agarrados nas saliências, mas o ruído da água parecia levar-me a outro lugar, um lugar misterioso e distante, onde nada daquilo tinha a menor importância, e onde poderia chegar se me entregasse àquela força. Não haveria mais necessidade do esforço sobre-humano que os meus pés e mãos estavam a fazer para permanecerem colados na rocha: tudo seria descanso e paz.

Entretanto, pés e mãos não obedeceram ao impulso de entregar-me. Tinham resistido a uma tentação mortal. E a minha cabeça começou a emergir lentamente, da mesma maneira que tinha entrado. Fui tomado de um profundo amor pelo meu corpo, que estava ali a ajudar-me numa aventura tão louca, como a de um homem que cruza uma cachoeira em busca de uma espada.

Quando a cabeça emergiu por completo, vi o Sol brilhar acima de mim, e inspirei profundamente o ar à minha volta. Isto deu-me novo vigor. Olhei em volta e divisei, a alguns centímetros de mim, o planalto por onde tínhamos caminhado antes, e que era o final da jornada. Senti um impulso gigantesco de atirar-me e agarrar-me a algum canto, mas não podia ver nenhuma reentrância, por causa da água que caía. O impulso final era grande, mas não era chegado o momento da conquista, e tinha que controlar-me. Fiquei na posição mais difícil de toda a escalada, com a água a bater no meu peito, a pressão a lutar para devolver-me de volta à terra, de onde tinha ousado sair por causa dos meus sonhos.

Não era o momento de pensar em Mestres, amigos, e não podia olhar para o lado e ver se Petrus estava em condição de salvar-me, caso escorregasse. «Ele deve ter feito esta escalada um milhão de vezes – pensei – e sabe que aqui preciso desesperadamente de ajuda. Mas ele abandonou-me. Ou talvez não me tenha abandonado, e esteja por detrás de mim, mas não posso virar a cabeça, porque isso me desequilibraria. Tenho que fazer tudo. Tenho que conseguir, sozinho, a minha Conquista».

Mantive os dois pés e uma das mãos cravados na rocha, enquanto a outra se soltava e procurava harmonizar-se com a água. Ela não devia oferecer a menor resistência, porque já estava a utilizar o máximo das minhas forças. A minha mão, sabendo isso, passou a ser um peixe que se entregava mas que sabia onde desejava chegar. Lembrei-me dos filmes da infância, onde via salmões a pular sobre quedas de água, porque tinham uma meta e precisavam, também eles, de atingi-la.

O braço foi subindo lentamente, aproveitando a própria força da água. Consegui finalmente livrá-lo, e cabia-lhe exclusivamente, agora, descobrir o apoio e o destino do resto do meu corpo. Como um salmão dos filmes da infância, ele tornou a mergulhar na água sobre o planalto, em busca de um lugar, de um ponto qualquer onde eu pudesse apoiar-me para o salto final.

No entanto, a pedra tinha sido lavada e polida por séculos de água a correr ali. Mas devia haver uma reentrância: se Petrus tinha conseguido, eu também podia. Comecei a sentir muita dor, porque agora sabia que estava a um passo do final, e este era o momento em que as forças fraquejam e o homem não tem confiança em si mesmo. Algumas vezes, na minha vida, tinha perdido no último momento, nadado num oceano e afogado nas ondas da arrebentação. Mas eu estava a fazer o Caminho de Santiago, e esta história não podia repetir-se sempre – precisava de vencer naquele dia.

A mão livre deslizava pela rocha lisa, e a pressão ia ficando cada vez mais forte. Sentia que os outros membros não aguentavam mais, e que podia ter cãibras a qualquer momento. A água batia com força também nos meus órgãos genitais, e a dor era intensa. De repente, porém, a mão livre conseguiu achar uma reentrância na pedra. Não era grande e estava fora do caminho da subida, mas serviria de apoio para a outra mão, quando chegasse a sua vez. Marquei mentalmente o local e a mão livre saiu novamente em busca da minha salvação. A poucos centímetros da primeira reentrância, uma outra base de apoio esperava-me.

Ali estava ela. Ali estava o lugar que, durante séculos, serviu e apoiou os peregrinos a caminho de Santiago. Percebi isso e agarrei-me com todas as minhas forças. A outra mão soltou-se, foi atirada para trás por causa da força do rio, mas descreveu um grande arco no céu e encontrou o lugar que a esperava. Num movimento imediato, todo o meu corpo seguiu o caminho aberto pelos meus braços, e atirei-me para cima.

O grande e último passo fora dado. O corpo inteiro atravessou a água e no momento seguinte, a selvajaria da cachoeira era apenas um fio de água, quase sem corrente. Rastejei para a margem e entreguei-me ao cansaço. O sol batia no meu corpo, aquecia-me, e lembrava-me de novo que eu tinha vencido, e que continuava tão vivo como antes, quando estava no lago lá embaixo. Apesar do barulho da água senti os passos de Petrus a aproximarem-se.

Quis levantar-me para expressar a minha alegria, mas o corpo exausto recusou-se a obedecer.

– Fica tranquilo, descansa – disse ele. – Procura respirar devagar.

Fiz isso e caí num sono profundo e sem sonhos. Quando acordei, o Sol tinha mudado de posição e Petrus, já completamente vestido, estendeu-me as minhas roupas e disse que precisávamos de continuar.

– Estou muito cansado – respondi.

– Não te preocupes. Vou ensinar-te a tirar energia de tudo o que te cerca.

E Petrus ensinou-me o SOPRO DE RAM.

Realizei o exercício durante cinco minutos, e senti-me melhor. Levantei-me, vesti as roupas, e peguei na mochila.

– Vem aqui – disse Petrus.

E caminhei até à borda do planalto. Debaixo dos meus pés, rugia a cachoeira.

– Vista daqui, parece muito mais fácil do que vista de baixo – disse eu.

– Exactamente. E se eu te tivesse mostrado esta vista antes, terias sido traído. Terias avaliado mal as tuas possibilidades.

Continuava fraco e repeti o exercício. Aos poucos, todo o Universo à minha volta começou a harmonizar-se comigo, e a penetrar no meu coração. Perguntei porque não me tinha ensinado o SOPRO DE RAM antes, já que muitas vezes eu tivera preguiça e cansaço no Caminho de Santiago.

– Porque nunca tinhas mostrado isso – disse ele a rir, e perguntou-me se eu ainda tinha os deliciosos biscoitos amanteigados que tinha comprado em Astorga.

O SOPRO DE RAM

Solta todo o ar dos pulmões, esvaziando-os o mais possível. Depois, vai inspirando lentamente à medida que levantas os braços até ao alto. Enquanto inspiras, concentra-te para que dentro de ti mesmo entre amor, paz e harmonia com o universo.

Mantém a respiração presa e os braços levantados o máximo de tempo possível gozando a harmonia interior e exterior. Quando chegares ao limite, solta todo o ar numa rápida expiração, enquanto pronuncias a palavra RAM.

Repete durante cinco minutos.

A LOUCURA

Há quase três dias que estávamos a fazer uma espécie de marcha forçada. Petrus despertava-me antes do alvorecer, e só parávamos de andar às nove da noite. Os únicos descansos concedidos eram por ocasião das refeições, já que o meu guia tinha abolido a *siesta* do início da tarde. Dava a impressão de que estava a seguir um misterioso programa, que não me era dado conhecer.

Além disso, ele tinha mudado por completo o seu comportamento. No começo pensei que tinha sido por causa da minha dúvida no episódio da cachoeira, mas percebi que não. Mostrava-se irritadiço com todos, e olhava para o relógio várias vezes por dia. Lembrei-lhe que me dissera que nós mesmos criamos a noção de tempo.

– Estás cada dia mais esperto – respondeu ele. – Vamos ver se vais colocar toda essa esperteza em prática quando precisares.

Certa tarde eu estava tão cansado com o ritmo da caminhada que simplesmente não conseguia levantar-me. Petrus então mandou que eu tirasse a camisa e encostasse a coluna vertebral a uma árvore que tinha perto. Fiquei assim por alguns minutos e logo me senti bem disposto. Ele começou a explicar-me que os vegetais, principalmente as árvores maduras, são capazes de transmitir harmonia quando alguém encosta o seu centro nervoso ao tronco. Durante horas, discorreu sobre as propriedades físicas, energéticas e espirituais das plantas.

Como já tinha lido aquilo tudo em qualquer lugar, não me preocupei em fazer anotações. Mas o discurso de Petrus serviu para desfazer a sensação de que estava aborrecido comigo. Passei a olhar o seu silêncio com mais respeito, e ele, talvez adivinhando as minhas preocupações, procurava ser simpático sempre que o seu constante mau humor lho permitia.

Certa manhã chegámos a uma imensa ponte, totalmente desproporcionada em relação ao pequeno fio de água que corria debaixo dela. Era domingo bem cedo, e as tabernas e bares da pequena cidade nas imediações ainda estavam fechados. Sentámo-nos ali para tomar o pequeno almoço.

– O homem e a Natureza têm caprichos iguais – disse eu, a tentar puxar o assunto. – Nós construímos belas pontes, e ela encarrega-se de desviar o curso dos rios.

– E a seca – disse ele. – Acaba já com a sanduíche porque temos que continuar.

Resolvi perguntar-lhe o porquê de tanta pressa.

– Estou há muito tempo no Caminho de Santiago, já te disse. – Deixei muitas coisas por fazer em Itália. Preciso de voltar depressa.

A frase não me convenceu. Podia ser verdade, mas esse não era o único motivo. Quando ia insistir na pergunta, ele mudou de assunto.

– O que sabes desta ponte?

– Nada – respondi. – E mesmo com a seca, ela é demasiado desproporcionada. Acredito mesmo que o rio tenha desviado o seu curso.

– Quanto a isso, não tenho ideia – disse. – Mas ela é conhecida no Caminho de Santiago como «o Passo Honroso». Estes campos aqui à nossa volta foram o cenário de sangrentas batalhas entre Suevos e Visigodos e, mais tarde, entre os soldados de Alfonso III e os Mouros. Talvez ela seja assim tão grande para que todo esse sangue pudesse correr sem inundar a cidade.

Era uma tentativa de humor macabro. Eu não ri. Ele ficou um pouco desconcertado, mas continuou:

– Entretanto, não foram as hostes de Visigodos, nem os brados triunfantes de Alfonso III que deram o nome a esta ponte. Mas uma história de Amor e de Morte.

»Nos primeiros séculos do Caminho de Santiago, à medida que refluíam de toda a Europa peregrinos, padres, nobres e até mesmo reis que queriam prestar a sua homenagem ao Santo, também chegaram assaltantes e bandoleiros. A história regista inúmeros casos de roubos de caravanas inteiras de peregrinos e de crimes horríveis cometidos contra os viajantes solitários.

Tudo se repete, pensei com os meus botões.

– Por causa disso, alguns nobres cavaleiros resolveram dar protecção aos peregrinos, e cada um deles encarregou-se de proteger uma parte do Caminho. Mas, assim como os rios mudam o seu curso, também o ideal dos homens está sujeito a mudanças. Além de espantar os malfeitores, os cavaleiros andantes começaram a disputar entre eles quem era o mais forte e o mais corajoso no Caminho de Santiago. Não tardou muito e começaram a lutar entre si, e os bandidos voltaram a agir impunemente nas estradas.

»Isto aconteceu durante muito tempo até que, em 1434, um nobre da cidade de León apaixonou-se por uma mulher. Chamava-se Don Suero de Quiñones, era rico e forte, e tentou de todas as maneiras receber a mão de sua dama em casamento. Mas esta senhora – de quem a história se esqueceu de guardar o nome – não quis sequer tomar conhecimento daquela imensa paixão, e rejeitou o pedido.

Eu estava louco de curiosidade para saber que relação havia entre um amor rejeitado e a briga dos cavaleiros andantes. Petrus reparou no meu interesse, e disse que só contava o resto da história se eu terminasse a sanduíche, e começássemos imediatamente a caminhar.

– Pareces a minha mãe, quando eu era criança – respondi. Mas engoli o pedaço de pão que faltava, peguei na mochila, e começámos a atravessar a vila adormecida.

Petrus continuou:

– O nosso cavaleiro, ferido no seu amor-próprio, resolveu fazer exactamente aquilo que todos os homens fazem quando se sentem rejeitados: começar uma guerra particular. Prometeu a si mesmo que iria realizar uma façanha tão importante que a donzela nunca mais esqueceria o seu nome. Durante muitos meses, procurou um ideal nobre ao qual consagrar aquele amor rejeitado. Até que certa noite, ao ouvir falar dos crimes e das lutas no Caminho de Santiago, teve uma ideia.

»Reuniu dez amigos, instalou-se aqui nesta cidadezinha por onde estamos a passar, e mandou espalhar pelos peregrinos que iam e voltavam pelo Caminho de Santiago que estava disposto a permanecer ali trinta dias – e a quebrar trezentas lanças – para provar que ele era o mais forte e o mais ousado de todos os cavaleiros do Caminho. Acamparam com as suas bandeiras, estandartes, pagens e criados, e ficaram a esperar os desafiantes.

Imaginei que festa deve ter sido. Javalis assados, vinho o tempo todo, música, histórias e luta. Um quadro apareceu vivo na minha mente, enquanto Petrus continuava a contar o resto da história.

– As lutas começaram no dia 10 de Julho, com a chegada dos primeiros cavaleiros. Quiñones e os seus amigos combatiam durante o dia e preparavam grandes festas para a noite. As lutas eram sempre na ponte, para que ninguém pudesse fugir. A certa altura chegaram tantos desafiantes, que as fogueiras eram acesas em toda a extensão da ponte, para que os combates pudessem continuar pela madrugada. Todos os cavaleiros vencidos eram obrigados a jurar que nunca mais iriam lutar contra os outros, e daí em diante a sua única missão seria proteger os peregrinos até Compostela.

»A fama de Quiñones percorreu em poucas semanas toda a Europa. Além dos cavaleiros do caminho, começaram a afluir também generais, soldados, e bandidos, para desafiá-lo. Todos sabiam que quem conseguisse vencer o bravo cavaleiro de León, iria ficar famoso da noite para o dia, com o nome coroado de glória. Mas enquanto os outros buscavam apenas fama, Quiñones tinha um propósito muito mais nobre: o amor de uma mulher. E este ideal fez com que vencesse todos os combates.

»No dia 9 de Agosto as lutas terminaram, e Don Suero de Quiñones foi reconhecido como o mais bravo e o mais valente de todos os cavaleiros do Caminho de Santiago. A partir dessa data, mais ninguém ousou contar proezas de coragem, e os nobres voltaram a combater o único inimigo comum, os bandoleiros que assaltavam os peregrinos. Esta epopeia, mais tarde, iria dar início à Ordem Militar de Santiago da Espada.

Tínhamos acabado de atravessar a pequena cidade. Senti vontade de voltar e olhar novamente «o Passo Honroso», a ponte onde toda aquela história se tinha passado. Mas Petrus pediu que seguíssemos em frente.

– E o que aconteceu a Don Quiñones? – perguntei.

– Foi até Santiago de Compostela, e depositou no seu relicário uma gargantilha de ouro, que até hoje adorna o busto de Santiago Menor.

– Estou a perguntar se ele acabou por casar com a donzela.

– Ah, isso não sei – respondeu Petrus. – Nessa época, a História era escrita apenas por homens. E, no meio de tantas lutas, quem se iria interessar pelo final de uma história de amor?

Depois de me contar a história de Don Suero Quiñones, o meu guia voltou ao seu mutismo habitual, e caminhámos mais dois dias em silêncio, e quase sem parar para descanso. Entretanto, no terceiro dia, Petrus começou a andar mais devagar que o normal. Disse que estava um pouco cansado de todo o esforço feito naquela semana, e que já não tinha idade nem disposição para seguir naquele ritmo. Mais uma vez tive a certeza de que não estava a falar a verdade: o seu rosto, ao invés de cansaço, demonstrava uma preocupação intensa, como se algo de muito importante estivesse para acontecer.

Naquela tarde chegámos a Foncebadon, uma vila imensa, mas completamente em ruínas. As casas, construídas em pedra, tinham os seus telhados em ardósia destruídos pelo tempo e pelo apodrecimento das madeiras de sustentação. Um dos lados do povoado dava para um precipício, e à nossa frente, atrás de um monte, estava um dos mais importantes marcos do Caminho de Santiago: a Cruz de

Ferro. Desta vez era eu que estava impaciente e a querer chegar logo àquele estranho monumento, composto por um imenso tronco de quase dez metros de altura, encimado por uma Cruz de Ferro. A cruz fora deixada ali desde a época da invasão de César, em homenagem a Mercúrio. Seguindo a tradição pagã, os peregrinos da Rota Jacobeia costumavam depositar a seus pés uma pedra trazida de longe. Aproveitei a abundância de rochas da cidade abandonada e apanhei do chão um pedaço de ardósia.

Só quando resolvi apressar o passo é que percebi que Petrus estava a andar muito devagar. Examinava as casas em ruínas, mexia nos troncos caídos e restos de livros, até que resolveu sentar-se no meio da praça do local, onde havia uma cruz de madeira.

– Vamos descansar um pouco – disse.

Era ao entardecer, e mesmo que ficássemos por ali uma hora, ainda dava tempo de chegar à Cruz de Ferro antes que a noite caísse.

Sentei-me a seu lado e fiquei a olhar a paisagem vazia. Da mesma maneira que os rios mudavam de lugar, também mudavam de lugar os homens. As casas eram sólidas, e devem ter demorado muito tempo para desabar. Era um lugar bonito, com montanhas atrás e um vale em frente, e perguntei a mim mesmo o que tinha feito tanta gente abandonar um local destes.

– Achas que Don Suero de Quiñones era um louco? – perguntou Petrus.

Eu já não me lembrava de quem era Don Suero, e ele teve que me recordar «o Passo Honroso».

– Acho que não era louco – respondi. Mas fiquei na dúvida sobre a minha resposta.

– Pois ele era, da mesma maneira que Alfonso, o monge que conheceste, também é. Como eu sou, e a maneira de manifestar essa loucura está nos desenhos que faço. Ou tu, que buscas a tua espada. Todos nós temos dentro, a queimar, a santa chama da loucura, que é alimentada por Ágape.

»Não é preciso para isso querer conquistar a América, ou conversar com as aves – como São Francisco de Assis. Um vendedor de hortaliças na esquina pode manifestar essa santa chama da loucura, se ele gostar do que faz. Ágape existe além dos conceitos humanos, e é contagioso, porque o mundo tem sede dele.

Petrus disse-me que eu sabia despertar Ágape, através do Globo Azul. Mas para que Ágape pudesse florescer, eu não podia ter medo de mudar a minha vida. Se eu gostava do que estava a fazer, muito bem. Mas se não gostava, era sempre tempo de mudar. Ao permitir que acontecesse uma mudança, eu estava a transformar-me num terreno fértil e a deixar que a Imaginação Criadora lançasse sementes em mim.

– Tudo o que te ensinei, inclusive Ágape, só faz sentido se estiveres satisfeito contigo mesmo. Se isso não estiver a acontecer, os exercícios que aprendeste vão levar-te inevitavelmente ao desejo de uma mudança. E para que todos os exercícios que foram aprendidos não se voltem contra ti, é necessário permitires que uma mudança aconteça.

»Este é o momento mais difícil da vida de um homem. Quando ele vê o Bom Combate, e se sente incapaz de mudar de vida e ir combater. Se isso acontecer, o conhecimento voltar-se-á contra quem o possui.

Olhei a cidade de Foncebadon. Talvez todas aquelas pessoas, colectivamente, tivessem sentido essa necessidade de mudar. Perguntei a Petrus se tinha escolhido aquele cenário, propositadamente, para dizer-me isto.

– Não sei o que se passou aqui – respondeu. – Muitas vezes as pessoas são obrigadas a aceitar uma mudança provocada pelo destino, e não é disso que estou a falar. Estou a falar de um acto de vontade, um desejo concreto de lutar contra tudo aquilo que não nos deixa satisfeitos no nosso dia-a-dia.

»No caminho da existência, encontramos sempre problemas difíceis de resolver. Como, por exemplo, passar dentro da água de uma cachoeira sem que ela te derrube. Então tens que deixar a Imaginação Criadora agir. No teu caso, tinhas ali um desafio de vida e morte, e não tinhas tempo para muita escolha: Ágape indicou-te o único caminho.

»Mas existem problemas nesta vida em que temos de escolher entre um caminho e outro. Problemas quotidianos, como uma decisão ministerial, um rompimento afectivo, um encontro social. Cada uma destas pequenas decisões que tomamos a cada minuto da nossa existência pode significar a escolha entre a vida e a morte. Quando tu sais de casa de manhã para ir para o trabalho, podes escolher entre um transporte que te deixará são e salvo à porta do emprego, ou um outro que irá chocar e matar os seus ocupantes. Isto é um exemplo radical de como uma simples decisão pode afectar uma pessoa para o resto da vida.

Comecei a pensar em mim mesmo enquanto Petrus falava. Tinha escolhido fazer o Caminho de Santiago, em busca da minha espada. Era ela o que mais me importava agora, e precisava encontrá-la de qualquer maneira. Tinha que tomar a decisão certa.

– A única maneira de tomar a decisão certa é saber qual é a decisão errada – disse ele assim que lhe falei da minha preocupação. – E examinar o outro caminho, sem medo e sem morbidez, e depois disso, decidir.

Petrus, então ensinou-me o EXERCÍCIO DAS SOMBRAS.

– O teu problema é a tua espada – disse ele assim que concluiu a explicação do exercício.

Concordei.

– Então faz este exercício agora. Vou sair e dar uma volta. Quando voltar, sei que terás a solução certa.

Lembrei-me da pressa de Petrus todos aqueles dias e de toda esta conversa naquela cidade abandonada. Parecia que ele estava a procurar ganhar tempo, para também decidir qualquer coisa. Fiquei animado e comecei a fazer o exercício.

Fiz um pouco de SOPRO DE RAM para me harmonizar com o ambiente. Depois marquei quinze minutos no relógio e comecei a olhar as sombras ao redor. Sombras de casas em ruínas, de pedra, madeira, da cruz velha atrás de mim. Ao olhar as sombras, percebi como era difícil saber a parte exacta que estava a ser reflectida. Nunca tinha pensado nisto. Algumas traves rectas transformavam-se em objectos angulares, e uma pedra irregular tinha um formato redondo quando reflectida. Fiz isto durante os primeiros dez minutos. Não foi difícil concentrar-me, porque o exercício era fascinante. Comecei então a pensar nas soluções erradas para encontrar a minha espada. Um sem-número de ideias passou pela minha cabeça – desde tomar um autocarro para Santiago, até telefonar para a minha mulher e, através de chantagem emocional, conseguir saber onde ela a tinha colocado.

Quando Petrus voltou eu estava a sorrir.

– E então? – perguntou ele.

– Descobri como Agatha Christie escreve os seus romances policiais – brinquei. – Ela transforma a hipótese mais errada na hipótese mais certa. Ela deve ter conhecido o EXERCÍCIO DAS SOMBRAS.

Petrus perguntou onde estava a minha espada.

– Vou descrever primeiro a hipótese mais errada que consegui elaborar a olhar as sombras: a espada está fora do Caminho de Santiago.

– Tu és um génio. Descobriste que estamos a andar há muito tempo em busca da tua espada. Pensei que te tinham dito isso ainda no Brasil.

– E guardada num lugar seguro – continuei –, onde a minha mulher não tem acesso. Deduzi que ela está num lugar absolutamente aberto, mas que se incorporou de tal forma no ambiente que não se vê.

Petrus não riu desta vez. Continuei:

– E como o mais absurdo seria que estivesse num local cheio de gente, ela está num local quase deserto. Além do mais, para que as poucas pessoas que a vejam não percebam a diferença entre uma espada como a minha e uma espada típica espanhola, ela deve estar num local onde ninguém saiba distinguir estilos.

– Tu achas que ela está aqui? perguntou ele.

O EXERCÍCIO DAS SOMBRAS

Descontrai-te.

Durante cinco minutos, fica a olhar todas as sombras de objectos ou pessoas ao teu redor. Procura saber exactamente que parte do objecto ou da pessoa está a ser reflectida.

Nos cinco minutos seguintes, continua a fazer isso, mas ao mesmo tempo focaliza o problema que desejas resolver, e procura todas as possíveis soluções erradas para ele.

Finalmente, mais cinco minutos a olhar para as sombras e a pensar quais as soluções certas que sobraram. Elimina-as uma a uma, até restar apenas a solução exacta para o problema.

– Não, ela não está aqui. A coisa mais errada seria fazer este exercício no local onde está a espada. Essa hipótese abandonei-a logo. Mas deve estar numa cidade parecida com esta. Não pode estar abandonada, porque uma espada numa cidade abandonada chamaria muito a atenção dos peregrinos e passantes. Em pouco tempo ela estaria a enfeitar as paredes de um bar.

– Muito bem – disse ele, e notei que estava orgulhoso de mim ou do exercício que me tinha ensinado.

– Há mais uma coisa – disse eu.

– O que é?

– O local mais errado para estar a espada de um Mago seria um lugar profano. Ela deve estar num lugar sagrado. Como uma igreja, por exemplo, onde ninguém se atreveria a roubá-la. Resumindo: numa igreja de uma pequena cidade perto de Santiago, à vista de todos, mas em harmonia com o ambiente, está a minha espada. A partir de agora, vou visitar todas as igrejas do Caminho.

– Não é preciso – disse ele. Quando chegar o momento, reconhecê-la-ás.

Eu tinha conseguido.

– Escuta, Petrus, porque andámos tão rapidamente e agora estamos tanto tempo numa vila abandonada?

– Qual seria a decisão mais errada?

Olhei as sombras de relance. Ele tinha razão. Estávamos ali por algum motivo.

O Sol escondeu-se atrás da montanha, mas ainda faltava muito para terminar o dia. Pensava que naquele momento o Sol devia estar a bater na Cruz de Ferro, a cruz que queria ver, e que estava apenas a algumas centenas de metros de mim. Queria saber o porquê daquela espera. Tínhamos andado muito depressa a semana inteira, e o único motivo parecia-me ser que precisávamos de chegar ali naquele dia e naquela hora.

Tentei puxar conversa para ajudar a passar o tempo, mas percebi que Petrus estava tenso e concentrado. Já tinha visto muitas vezes Petrus de mau humor, mas não me lembrava de tê-lo visto tenso. De repente, lembrei-me de que já o tinha visto assim uma vez. Foi num pequeno almoço de uma cidadezinha da qual nem me recordava o nome, pouco antes de encontrarmos...

Olhei para o lado. Ali estava ele: o Cão.

O cão violento que me atirou ao chão uma vez, o cão cobarde que saiu a correr da vez seguinte. Petrus tinha prometido ajudar-me no nosso próximo encontro, e eu virei-me para ele. Mas ao meu lado já não tinha ninguém.

Mantive os olhos fixos nos olhos do animal, enquanto a minha cabeça procurava rapidamente uma maneira de enfrentar aquela situação. Nenhum de nós fez qualquer movimento, e eu lembrei--me por um segundo dos duelos de filmes do Far West, em cidades abandonadas. Ninguém jamais sonharia em colocar um homem em duelo com um cão, inverosímil demais. E no entanto ali estava eu, vivendo na realidade o que na ficção seria inverosímil.

Ali estava a Legião, porque eram muitos. Ao meu lado havia uma casa abandonada. Se corresse de repente, podia subir ao seu telhado, e a Legião não me seguiria. Estava presa dentro do corpo e das possibilidades de um cão.

Pus logo a ideia de lado, enquanto mantinha os olhos fixos nos dele. Muitas vezes no Caminho tinha tido medo deste momento, e agora esse momento tinha chegado. Antes de encontrar a minha espada, tinha que me encontrar com o Inimigo, e vencer ou ser derrotado por ele. Só me restava enfrentá-lo. Se fugisse agora, iria cair numa armadilha. Podia ser que o cão não voltasse mais, mas eu ia caminhar com medo até Santiago de Compostela. Mesmo depois, iria sonhar noites inteiras com o cão, a pensar que ele ia aparecer no minuto seguinte, e a viver apavorado o resto dos meus dias. Enquanto reflectia sobre isto, o cão moveu-se na minha direcção. Parei imediatamente de pensar e concentrei-me exclusivamente na luta que ia ter o seu início. Petrus fugiu e agora eu estava sozinho. Senti medo. E quando senti medo o cão começou a caminhar lentamente na minha direcção, ao mesmo tempo que rosnava baixinho. O rosnar contido era muito mais ameaçador que um latido alto, e o meu medo aumentou. Percebendo a fraqueza nos meus olhos, o cão atirou-se a mim.

Foi como se uma pedra tivesse batido no meu peito. Fui atirado ao chão e ele começou a atacar-me. Tive uma vaga lembrança de que conhecia a minha Morte, e que não ia ser desta maneira, mas o medo crescia dentro de mim, e não consegui controlá-lo. Comecei a lutar para defender apenas o meu rosto e a minha garganta. Uma dor forte na perna fez com que me encolhesse todo, e percebi que alguma carne tinha sido rasgada. Tirei as mãos da cabeça e do pescoço e levei-as em direcção á ferida. O cão aproveitou e preparou-se para atacar o meu rosto. Neste momento, uma das mãos tocou numa pedra ao meu lado. Peguei imediatamente na pedra e comecei a bater com todo o meu desespero no cão.

Ele afastou-se um pouco, mais surpreendido que ferido, e eu consegui levantar-me. O cão continuou a recuar, mas a pedra suja de sangue deu-me ânimo. Eu estava a respeitar demasiado a força do meu inimigo, e aquilo era uma armadilha. Ele não podia ter mais força do que eu. Ele podia ser mais ágil, mas não podia ter mais força, porque eu era mais pesado e mais alto do que ele. O medo já não era tão grande, mas eu estava descontrolado, e comecei a berrar com a pedra na mão. O animal recuou mais um pouco e de repente parou.

Parecia que estava a ler os meus pensamentos. No meu desespero, estava a sentir-me forte, e ridículo por estar a lutar com um cão. Uma sensação de Poder invadiu-me de repente, e um vento quente começou a soprar naquela vila deserta. Comecei a sentir um tédio enorme de continuar aquela luta – afinal de contas, bastava acertar-lhe com a pedra no meio da cabeça, e eu teria vencido. Quis parar com aquela história de imediato, ver o ferimento na minha perna, e acabar de vez com aquela absurda experiência de espadas e estranhos caminhos de Santiago.

Era mais uma armadilha. O cão deu um pulo e derrubou-me de novo. Desta vez ele conseguiu evitar a pedra com habilidade, mordendo a minha mão e fazendo com que a soltasse. Comecei a socá-lo com as mãos nuas, mas não estava a causar-lhe nenhum dano sério. Tudo que conseguia evitar é que me mordesse ainda mais. As unhas afiadas começaram a rasgar a minha roupa e os meus braços, e vi que era apenas uma questão de tempo para que me dominasse por completo.

De repente escutei uma voz dentro de mim. Uma voz a dizer que se ele me dominasse a luta acabava, e eu estaria salvo. Derrotado mas vivo. A minha perna doía e o corpo inteiro estava a arder por causa dos arranhões. A voz insistia para que eu abandonasse a luta, e eu reconheci-a: era a voz de Astrain, o meu Mensageiro, a falar comigo. O cão parou por um momento, como se também ouvisse a mesma voz, e mais uma vez tive vontade de abandonar tudo aquilo. Astrain dizia-me que muita gente nesta vida não achou a sua espada, e que diferença podia fazer isso? Eu queria mesmo era voltar para casa, estar com a minha mulher, ver os meus filhos e trabalhar naquilo de que gosto.

Chega de tantos absurdos, de enfrentar cães e subir cachoeiras. Era a segunda vez que pensava isso, mas agora a vontade estava mais forte, e tive a certeza de que iria render-me no segundo seguinte.

Um barulho na rua da cidade abandonada chamou a atenção do animal. Olhei para o lado e vi um pastor a trazer as suas ovelhas de volta do campo. Lembrei-me de repente que já vira aquela mesma cena antes, nas ruínas de um velho castelo. Quando o cão viu as ovelhas, saltou de cima de mim e preparou-se para atacá-las. Era a minha salvação.

O pastor começou a gritar e as ovelhas correram por todos os cantos. Antes que o cão se afastasse por completo resolvi resistir por mais um segundo, só para dar tempo aos animais de fugirem, e segurei o cão por uma das pernas. Veio a esperança absurda de que o pastor talvez viesse em meu auxílio, e voltou por um momento a esperança da espada e do Poder de RAM.

O cão tentava desevencilhar-se de mim. Eu já não era o inimigo, era um importuno. O que ele queria agora estava ali na sua frente, as ovelhas. Mas eu continuei agarrado à perna do animal, a esperar um pastor que não vinha, a esperar as ovelhas que não fugiam.

Este segundo salvou a minha alma. Uma força imensa começou a surgir dentro de mim, e não era mais a ilusão do Poder, que provoca o tédio e a vontade de desistir. Astrain sussurrou de novo, mas algo diferente. Dizia que eu devia enfrentar sempre o mundo com as mesmas armas com que era desafiado. E que eu só podia enfrentar um cão, transformando-me num cão.

Esta era a loucura de que Petrus me tinha falado naquele dia. E eu comecei a sentir-me cão. Arreganhei os dentes e rosnei baixo, com o ódio a fluir nos ruídos que fazia. Vi de relance o rosto assustado do pastor e as ovelhas com tanto medo de mim como do cão.

A Legião percebeu e começou a assustar-se. Então eu dei um salto. Era a primeira vez que fazia isso em todo o combate. Ataquei com os dentes e com as unhas, tentando morder o cachorro no pescoço, exactamente da maneira que eu temia que ele me fizesse. Dentro de mim existia apenas um desejo imenso de vitória. Nada mais tinha importância. Atirei-me sobre o animal e derrubei-o no chão. Ele lutava para sair debaixo do peso do meu corpo, e as suas unhas cravavam-se na minha pele, mas eu também estava a morder e a dar unhadas. Vi que se saísse debaixo de mim ia fugir mais uma vez, e eu não queria que isso acontecesse. Desta vez iria vencê-lo e derrotá-lo.

O animal começou a olhar para mim com pavor. Agora eu era um cão, e ele parecia transformado em homem. O meu antigo medo estava a actuar nele, e com tanta força que ele conseguiu sair, mas eu encurralei-o de novo no fundo de uma das casas abandonadas. Atrás de um pequeno muro de ardósia estava o precipício, e ele não tinha mais por onde fugir. Era um homem que ali ia ver o rosto da sua Morte.

De repente comecei a perceber que havia algo errado. Estava forte de mais. O meu pensamento estava a ficar nublado, comecei a ver um rosto cigano, e imagens difusas em torno desse rosto. Eu tinha-me transformado na Legião. Este era o meu poder. Eles abandonaram aquele pobre cão assustado que daí a um instante ia cair no abismo. E agora estavam em mim. Senti um desejo terrível de despedaçar o animal indefeso. «Tu és o Príncipe e eles são a Legião», sussurrou Astrain. Mas eu não queria ser um Príncipe, e escutei também de longe a voz do meu Mestre a dizer insistentemente que tinha uma espada a procurar. Precisava de resistir mais um minuto. Não devia matar aquele cão.

Olhei de relance o pastor. O seu olhar confirmou o que estava a pensar. Ele agora estava mais assustado comigo do que com o cão.

Comecei a sentir uma tontura, e a paisagem a andar à volta. Eu não podia desmaiar. Se desmaiasse agora, a Legião teria vencido em mim. Tinha que achar uma solução. Não estava já a lutar contra um animal, mas contra a força que me tinha possuído. Comecei a sentir as pernas fraquejarem, e apoiei-me numa parede, mas ela cedeu com o meu peso. Entre pedras e pedaços de madeira, caí de rosto na terra.

A Terra. A Legião era a terra, os frutos da terra. Os frutos bons e maus da terra, mas a terra. Ali era a sua casa, e dali ela governava ou era governada pelo mundo. Ágape explodiu dentro de mim e cravei com força as minhas unhas na terra. Dei um uivo, um grito semelhante ao que ouvi a primeira vez, quando o cão e eu nos encontrámos. Senti que a Legião passava pelo meu corpo e descia para a terra, porque dentro de mim tinha Ágape, e a Legião não queria ser consumida pelo Amor-Que-Devora. Esta era a minha vontade, a vontade que me fazia lutar com o resto das minhas forças contra o desmaio, a vontade de Ágape fixa na minha alma a resistir. O meu corpo tremeu todo.

A Legião descia com força para a terra. Comecei a vomitar, mas sentia que era Ágape a crescer e a sair por todos os meus poros. O corpo continuou a tremer até que, depois de muito tempo, senti que a Legião tinha voltado ao seu reino.

Notei quando o último vestígio dela passou pelos meus dedos. Sentei-me no chão, ferido e amachucado, e vi uma cena absurda diante dos meus olhos. Um cão, a sangrar e a abanar o rabo, e um pastor assustado a olhar-me.

– Deve ter sido alguma coisa que comeu – disse o pastor, que não queria acreditar em tudo o que tinha visto. – Mas agora que vomitou vai passar.

Concordei com a cabeça. Ele agradeceu-me por ter contido o «meu» cão, e seguiu o caminho com as suas ovelhas.

Petrus apareceu, e não disse nada. Cortou um pedaço da sua camisa e fez um torniquete na minha perna, que sangrava muito. Pediu que mexesse o corpo inteiro, e disse que nada de mais sério ti) a acontecido.

– Estás deplorável – disse ele sorrindo; o seu raro bom humor tinha voltado. – Assim não dá para visitarmos hoje a Cruz de Ferro. Deve haver turistas por lá, e vão ficar assustados.

Eu não dei importância. Levantei-me, limpei a poeira e vi que podia andar. Petrus sugeriu que eu fizesse um pouco de SOPRO DE RAM, e pegou na minha mochila. Fiz o SOPRO DE RAM e novamente me harmonizei com o mundo. Dentro de meia hora chegaria à Cruz de Ferro.

E algum dia Foncebadon renasceria das suas ruínas. A Legião deixou ali muito Poder.

O MANDAR E O SERVIR

Cheguei à Cruz de Ferro transportado por Petrus, já que o ferimento da perna não me deixava caminhar direito. Quando ele reparou na extensão dos danos causados pelo cão, decidiu que eu devia ficar em repouso até me recuperar o suficiente para continuar o Estranho Caminho de Santiago. Ali perto existia uma aldeia, que servia de abrigo aos peregrinos surpreendidos pela noite antes de cruzarem as montanhas. Petrus conseguiu dois quartos na casa de um ferreiro, onde nos instalámos.

O meu aposento tinha uma pequena varanda, revolução arquitectónica que, partindo daquela aldeia, se espalharia por toda a Espanha do século VIII. Eu podia ver uma série de montes, os quais – mais cedo ou mais tarde – teria que atravessar antes de chegar a Santiago. Caí na cama e só acordei no dia seguinte, com um pouco de febre, mas sentindo-me bem.

Petrus trouxe água de uma fonte que os habitantes da aldeia chamavam «o poço sem fundo», e lavou os meus ferimentos. De tarde, apareceu com uma velha que morava pelas redondezas. Os dois colocaram vários tipos de ervas nas feridas e arranhões, e a velha obrigou-me a beber um chá amargo. Lembro-me que todos os dias Petrus me obrigava a lamber as feridas, até elas fecharem por completo. Eu sentia sempre o gosto metálico e doce do sangue, e isso deixava-me enjoado, mas o meu guia afirmava que a saliva era um poderoso desinfectante e iria ajudar-me na luta contra uma possível infecção.

No segundo dia a febre voltou. Petrus e a velha deram-me novamente o chá, tornaram a untar as feridas com ervas, mas a febre –
apesar de não ser muito alta não cedia. O meu guia então dirigiu-se
a uma base militar nas redondezas, em busca de ligaduras, já que não
havia em todo o vilarejo gaze ou adesivo para cobrir os ferimentos.
Poucas horas depois, Petrus voltou com as ligaduras. Com ele
veio também um jovem médico oficial, que queria por força saber
onde estava o animal que me mordera.

– Pelo tipo de ferida, o animal está raivoso – sentenciou com ar
grave o médico oficial.

– Nada disso – respondi. – Foi uma brincadeira que passou dos
limites. Conheço o animal há muito tempo.

O oficial não se convenceu. Queria por força que eu tomasse
uma vacina anti-rábica, e fui obrigado a deixar que me injectassem
pelo menos uma dose – sob a ameaça de ser transferido para o hospital da Base. Depois perguntou onde estava o animal que me tinha
mordido.

– Em Foncebadon – respondi.

– Foncebadon é uma aldeia em ruínas. Não existem cães por lá –
respondeu, com o ar sabedor de quem descobre uma mentira.

Comecei a dar alguns falsos gemidos de dor, e o médico oficial
foi conduzido por Petrus para fora do quarto. Mas deixou tudo aquilo
de que nós necessitávamos: ligaduras limpas, adesivo, e uma pomada
cicatrizante.

Petrus e a velha não utilizaram a pomada. Envolveram os ferimentos
com gaze cheia de ervas. Aquilo alegrou-me muito, já que eu não precisava de continuar a lamber os sítios onde o cão tinha mordido. Durante a noite, os dois ajoelhavam-se ao lado da minha cama e, com as
mãos estendidas sobre o meu corpo, rezavam em voz alta. Perguntei a
Petrus o que era aquilo, e ele fez uma vaga referência aos Carismas e ao
Caminho de Roma. Insisti, mas ele não disse mais nada.

Dois dias depois eu estava completamente recuperado. Fui até à
janela e vi alguns soldados fazer buscas nas casas da cidade e nos
morros das imediações. Perguntei a um deles o que se passava.

– Existe um cão raivoso pelas redondezas – respondeu. Naquela mesma tarde o ferreiro, dono dos quartos, veio pedir-me que deixasse a cidade assim que estivesse pronto para caminhar. A história tinha-se espalhado pelos habitantes da aldeia, e eles estavam com medo que eu me tornasse raivoso e pudesse transmitir a doença. Petrus e a velha começaram a discutir com o ferreiro, mas ele estava inflexível. A determinada altura, chegou a afirmar que tinha visto um fio de espuma sair pelo canto da minha boca, enquanto eu dormia.

Não houve argumento capaz de convencê-lo de que todos nós, enquanto dormimos, podemos apresentar aquele fenómeno. Nessa noite, a velha e o meu guia ficaram longo tempo em orações, com as mãos estendidas sobre o meu corpo. E no dia seguinte, a coxear um pouco, eu estava de novo no Estranho Caminho de Santiago.

Perguntei a Petrus se ele chegou a estar preocupado com a minha recuperação.

– Existe uma regra no Caminho de Santiago de que eu não te falei antes – respondeu –, mas que é a seguinte: uma vez iniciado, a única desculpa para interrompê-lo é por causa de uma doença. Se não fosses capaz de resistir aos ferimentos, e continuasses a ter febre, isso seria um presságio de que a nossa viagem teria de ficar por aqui.

Mas, disse com certo orgulho, as suas orações tinham sido atendidas. E eu tive a certeza de que aquela coragem era tão importante para ele como para mim.

O caminho agora era todo a descer, e Petrus avisou-me que iria continuar assim por mais dois dias. Tínhamos voltado a andar no nosso ritmo habitual, com a *siesta* todas as tardes, na hora em que o Sol estava mais forte. Por causa das minhas ligaduras, ele carregava a minha mochila. Já não tinha tanta pressa: o encontro marcado tinha sido cumprido.

O meu estado de ânimo melhorava a cada hora, e eu estava bastante orgulhoso comigo mesmo: tinha escalado uma cachoeira e derrotado o demónio do Caminho. Agora faltava apenas a tarefa mais importante: encontrar a minha espada. Comentei isso com Petrus.

– A vitória foi bonita, mas falhaste no mais importante – disse ele, atirando um verdadeiro balde de água fria para cima de mim.

– O que foi?

– Saber o momento exacto do combate. Eu tive que andar mais rápido, fazer marcha forçada, e tudo o que tu conseguias pensar era que estávamos em busca da tua espada. De que serve uma espada se o homem não sabe onde vai encontrar o seu inimigo?

– A espada é o meu instrumento de Poder – respondi.

– Estás demasiado convencido do teu Poder – disse ele. – A cachoeira, as Práticas de RAM, as conversas com o teu Mensageiro fizeram-te esquecer que faltava um inimigo para ser vencido. E que terias um encontro marcado com ele. Antes da mão manejar a espada, ela deve localizar o inimigo e saber como enfrentá-lo. A espada apenas dá o golpe. Mas a mão já está vitoriosa ou perderá antes desse golpe.

»Tu conseguiste vencer a Legião sem a tua espada. Existe um segredo nesta busca, um segredo que ainda não descobriste, mas sem ele jamais poderás encontrar o que procuras.

Fiquei em silêncio. Todas as vezes que começava a ter a certeza de que estava a chegar perto do meu objectivo, Petrus insistia em dizer que eu era um simples peregrino, e que faltava sempre alguma coisa para encontrar o que procurava. A sensação de alegria que sentia minutos antes de iniciar aquela conversa desapareceu por completo.

Eu estava mais uma vez a começar o Estranho Caminho de Santiago, e aquilo encheu-me de desânimo. Por aquela estrada que os meus pés pisavam, milhões de pessoas tinham passado durante doze séculos, indo e voltando de Santiago de Compostela. No caso delas, chegar onde queriam era apenas uma questão de tempo. No meu caso, as armadilhas da Tradição estavam sempre a levantar um obstáculo a vencer, mais uma prova a ser cumprida.

Disse a Petrus que me estava a sentir cansado, e sentámo-nos numa sombra da descida. Havia grandes cruzes de madeira a ladear o caminho. Petrus colocou as duas mochilas no chão e continuou a falar:

– Um inimigo representa sempre o nosso lado fraco. Que pode ser o medo da dor física, mas também pode ser a sensação prematura da vitória, ou o desejo de abandonar o combate por achar que ele não vale a pena.

»O nosso inimigo só entra na luta porque sabe que pode atingir--nos. Exactamente naquele ponto onde o nosso orgulho nos fez crer que éramos invencíveis. Durante a luta estamos sempre a procurar defender o nosso lado fraco, enquanto o Inimigo golpeia o lado desconhecido – aquele em que nós temos mais confiança. E acabamos derrotados porque acontece aquilo que não podia nunca acontecer: deixar que o Inimigo escolha a maneira de lutar.

Tudo o que Petrus estava a dizer tinha-se passado no meu combate com o cão. Ao mesmo tempo, eu rejeitava a ideia de ter inimigos, e ser obrigado a combater contra eles. Quando Petrus se referia ao Bom Combate, sempre tinha achado que estava a falar da luta pela vida.

– Tens razão, mas o Bom Combate não é apenas isto. Guerrear não é um pecado – disse ele assim que lhe coloquei as minhas dúvidas. – Guerrear é um acto de amor. O Inimigo desenvolve-nos e aprimora-nos, como o cão fez contigo.

– Entretanto, parece que nunca estás satisfeito. Falta sempre alguma coisa. Agora vens falar-me do segredo da minha espada.

Petrus disse que isso era algo que eu devia saber antes de iniciar a caminhada. E continuou a falar do Inimigo.

– O Inimigo é uma parcela de Ágape, e está ali para testar a nossa mão, a nossa vontade, o manejo da espada. Foi posto nas nossas vidas – e nós na vida dele – com um propósito. Esse propósito tem que ser satisfeito. Por isso, fugir da luta é o pior que nos pode acontecer. É pior do que perder a luta, porque na derrota sempre podemos aprender alguma coisa, mas na fuga, tudo que conseguimos é declarar a vitória do nosso Inimigo.

Eu disse que estava admirado por ouvir Petrus, que parecia ter uma ligação tão grande com Jesus, a falar em violência daquela maneira.

– Penso na necessidade de Judas para Jesus – disse ele. – Ele tinha que escolher um Inimigo, ou a sua luta na terra não podia ser glorificada.

As cruzes de madeira no caminho mostravam como tinha sido construída aquela glória. Com sangue, traição e abandono. Levantei-me e disse que estava pronto para continuar a caminhada.

Enquanto andava, perguntei qual era, numa luta, o ponto mais forte em que um homem se podia apoiar para vencer o Inimigo.

– O seu presente. O homem apoia-se melhor no que está a fazer agora, porque aí está Ágape, a vontade de vencer com Entusiasmo.

»E outra coisa eu quero deixar bem claro: o Inimigo raramente representa o Mal. Ele está sempre presente, porque uma espada sem uso acaba por enferrujar na bainha.

Lembrei-me que, certa vez, quando estávamos a construir uma casa de veraneio, a minha mulher tinha decidido mudar de uma hora para a outra a disposição de um dos quartos. Coube-me a desagradável tarefa de comunicar esta mudança ao pedreiro. Chamei o pedreiro, um velho de quase sessenta anos, e disse o que queria. Ele olhou, pensou, e veio com uma solução muito melhor, utilizando a parede, que tinha começado a levantar naquele momento. A minha mulher adorou a ideia.

Talvez fosse isso que Petrus estivesse a tentar dizer, com palavras tão complicadas, a respeito de se utilizar a força do que estamos a fazer no momento para vencer o Inimigo.

Contei-lhe a história do pedreiro.

– A vida ensina sempre mais do que o Estranho Caminho de Santiago – respondeu. – Mas nós não temos muita fé nos ensinamentos da vida.

As cruzes continuavam ao longo de toda a Rota Jacobeia. Devia ser obra de um peregrino com uma força quase sobre-humana, para levantar aquela madeira sólida e pesada. Havia cruzes de trinta em trinta metros, e estendiam-se até onde a minha vista alcançava. Perguntei a Petrus o que significavam.

– Um velho e ultrapassado instrumento de tortura – disse ele.

– Mas o que estão elas a fazer aqui?

– Deve ter sido alguma promessa. Como posso saber?

Parámos em frente de uma delas, que tinha sido derrubada.

– Talvez a madeira esteja podre – disse eu.

– É uma madeira igual a todas as outras. E nenhuma apodreceu.

– Então não deve ter sido cravada no chão com firmeza.

Petrus parou e olhou em volta. Largou a mochila e sentou-se. Nós tínhamos descansado havia apenas alguns minutos, e não entendi o seu gesto. Instintivamente olhei em volta, a procurar o cão.

– Tu venceste o cão – disse ele, como se adivinhasse os meus pensamentos. – Não te assustes com o fantasma dos mortos.

– Então por que parámos?

Petrus fez um sinal para que eu deixasse de falar, e ficou em silêncio por alguns minutos. Senti de novo o velho medo do cão, e resolvi ficar de pé, à espera que ele resolvesse falar.

– O que estás a ouvir? – perguntou ao fim de algum tempo.

– Nada. O silêncio.

– Oxalá fôssemos tão iluminados a ponto de escutar o silêncio! Mas ainda somos homens e não sabemos sequer escutar a tagarelice de nós mesmos. Tu nunca me perguntaste como eu pressenti a chegada da Legião, e agora vou dizer-te: pela audição. O ruído começou muitos dias antes, quando estávamos ainda em Astorga. A partir dali comecei a andar mais depressa, pois tudo indicava que os nossos caminhos iam cruzar-se em Foncebadon. Ouviste o mesmo ruído que eu, e não o escutaste.

»Tudo está escrito nos ruídos. O passado, o presente e o futuro do homem. Um homem que não sabe ouvir, não pode escutar os conselhos que a vida nos dá a cada instante. Só quem escuta o ruído do presente, pode tomar a decisão certa.

Petrus pediu que eu me sentasse e esquecesse o cão. Depois disse que ia ensinar-me uma das Práticas mais fáceis e mais importantes do Caminho de Santiago.

E explicou-me o EXERCÍCIO DA AUDIÇÃO.

– Fá-lo agora mesmo – disse ele.

Comecei a realizar o exercício. Escutava o vento, uma voz feminina bem longe, e a determinada altura percebi que um galho estava a ser quebrado. Não era realmente um exercício difícil, e a sua

simplicidade deixou-me fascinado. Colei o ouvido ao chão e comecei a escutar o ruído surdo da terra. Aos poucos comecei a separar cada
som: o som das folhas quietas, o som da voz à distância, o barulho
de asas de pássaro a bater. Um animal grunhiu, mas não pude iden-
tificar que tipo de bicho era. Os quinze minutos de exercício passaram voando.

– Com o tempo, verás que este exercício vai ajudar-te a tomar a
decisão correcta – disse Petrus, sem perguntar o que eu tinha escutado. – Ágape fala pelo Globo Azul, mas fala também pela visão, pelo
tacto, pelo perfume, pelo coração e pelos ouvidos. Numa semana, no
máximo, começarás a escutar vozes. Primeiro, serão vozes tímidas,
mas aos poucos vão começar a dizer-te coisas importantes. Cuidado
apenas com o teu Mensageiro, que vai tentar confundir-te. Mas como
conheces a voz dele, ela não será uma ameaça.

O Exercício da Audição

Descontrai-te. Fecha os olhos.

*Procura, durante alguns minutos, concentrar-te em todos os sons
que te cercam, como se fosse urna orquestra tocando os seus instrumentos.*

*Aos poucos, vai distinguindo cada som em separado. Concentra-
te num por um, como se fosse apenas um instrumento tocando. Procura eliminar os outros sons da tua mente.*

*Com a realização diária deste exercício, começarás a ouvir vozes.
Primeiro, vais achar que são fruto da tua imaginação. Depois, descobrirás que são vozes de pessoas passadas, presentes e futuras, partici-
pando da Memória do Tempo.*

*Este exercício só deve ser realizado se já conheceres a voz do teu
Mensageiro.*

Duração mínima: dez minutos.

Petrus perguntou-me se tinha escutado o chamamento alegre de um Inimigo, o convite de uma mulher, ou o segredo da minha espada.

– Escutei apenas uma voz feminina ao longe – disse eu. – Mas era uma camponesa chamando o filho.

– Então olha para esta cruz em frente, e coloca-a em pé com o teu pensamento.

Perguntei qual era o exercício.

– Ter fé no teu pensamento – respondeu.

Sentei-me no chão, em posição de ioga. Sabia que depois de tudo o que tinha conseguido, do cão, da cachoeira, ia conseguir isto também. Olhei fixamente a cruz. Imaginei-me a sair do meu corpo, a agarrar os seus braços e a levantá-la com o meu corpo astral. No caminho da Tradição, eu já fizera alguns destes pequenos «milagres». Conseguia quebrar copos, estátuas de porcelana, e mover coisas sobre a mesa. Era um truque fácil de magia que, apesar de não significar Poder, ajudava muito a convencer os «ímpios». Nunca tinha tentado antes com um objecto do tamanho e com o peso daquela cruz, mas se Petrus tinha mandado, eu saberia conseguir.

Durante meia hora tentei de todas as maneiras. Utilizei a viagem astral e a sugestão. Lembrei-me do domínio que o Mestre tinha da força da gravidade, e procurei repetir as palavras que ele dizia sempre nestas ocasiões. Nada aconteceu. Estava completamente concentrado e a cruz não se movia. Invoquei Astrain, que apareceu e a cruz não se movia. Mas quando lhe falei da cruz, ele disse que detestava aquele objecto.

Petrus acabou por me sacudir e tirar-me do transe.

– Vamos, isto está a ficar muito chato – disse. – Já que não consegues com o pensamento, coloca esta cruz de pé com as mãos.

– Com as mãos?

– Obedece!

Eu apanhei um susto. De repente estava diante de mim um homem ríspido, muito diferente daquele que tinha cuidado das minhas feridas. Não sabia nem o que dizer, nem o que fazer.

– Obedece! – repetiu ele. – É uma ordem!

Eu tinha os braços e as mãos com ligaduras por causa da luta com o cão. Apesar do exercício de ouvir, os meus ouvidos recusavam-se a acreditar no que estava a escutar. Sem dizer nada, mostrei-lhe as ligaduras. Mas ele continuou a olhar-me friamente, sem qualquer expressão. Esperava que eu lhe obedecesse.

O guia e amigo que me tinha acompanhado durante todo aquele tempo, que me tinha ensinado as PRÁTICAS DE RAM e contado as belas histórias do Caminho de Santiago, parecia já não estar ali. Em seu lugar eu via apenas um homem que me olhava como escravo e me pedia uma coisa estúpida.

– O que esperas? – disse ele mais uma vez.

Lembrei-me da cachoeira. Lembrei-me de que naquele dia tinha duvidado de Petrus, e que ele tinha sido generoso comigo. Tinha mostrado o seu amor e impedira-me de desistir da espada. Não conseguia entender por que alguém tão generoso estava a ser tão rude agora, representando naquele momento tudo que a raça humana estava a tentar afastar para longe, que era a opressão do homem pelo seu semelhante.

– Petrus, eu...

– Obedece ou o Caminho de Santiago acaba agora.

O medo voltou. Eu estava naquele momento a sentir mais medo dele que da cachoeira, mais medo dele que do cão que me tinha assustado tanto tempo. Pedi desesperadamente que a natureza me desse algum sinal, que eu pudesse ver ou ouvir alguma coisa que justificasse aquela ordem sem sentido. Tudo continuou em silêncio ao meu redor. Era obedecer a Petrus ou esquecer a minha espada. Mais uma vez levantei os braços enfaixados, mas ele sentou-se no chão e esperou que eu cumprisse a sua ordem.

Então decidi obedecer.

Caminhei até à cruz e tentei empurrá-la com o pé, para testar o seu peso. Ela mal se moveu. Mesmo que eu tivesse as mãos livres, teria uma imensa dificuldade em levantá-la, e imaginei que com as mãos enfaixadas aquela tarefa seria quase impossível. Mas eu ia obedecer. Ia morrer ali na frente, se necessário fosse, ia suar sangue como Jesus suou quando teve que carregar aquele mesmo peso, mas ele ia ver a minha dignidade, e talvez isto tocasse o seu coração, livrando-me daquela prova.

A cruz tinha quebrado na sua base, mas ainda estava presa por algumas fibras de madeira. Não tinha canivete para cortar essas fibras. Dominando a dor, abracei-a e tentei arrancá-la da base quebrada, sem usar as mãos. Os ferimentos dos braços entraram em contacto com a madeira e gritei de dor. Olhei para Petrus e ele continuava impassível. Resolvi não gritar mais: os gritos, a partir daquele instante, iam morrer dentro do meu coração.

Notei que o meu problema imediato já não era mover a cruz, mas libertá-la da sua base, e depois cavar um buraco no chão e empurrá-la para dentro do buraco. Escolhi uma pedra afiada e, dominando a dor, comecei a bater e a esfregar nas fibras de madeira.

A dor aumentava a cada instante, e as fibras iam cedendo vagarosamente. Tinha que acabar aquilo depressa, antes que os ferimentos tornassem a abrir e a coisa ficasse insuportável. Decidi fazer o trabalho um pouco mais devagar, de maneira que chegasse ao final antes da dor me vencer. Tirei a *T-shirt*, enrolei-a na mão, e recomecei a trabalhar mais protegido. A ideia foi boa: rompeu-se a primeira fibra, logo depois a segunda. A pedra gastou o corte e procurei outra. Cada vez que parava o trabalho, tinha a impressão de que não ia conseguir recomeçar de novo. Juntei várias pedras afiadas e continuei a utilizar uma após outra, para que o calor da mão trabalhando diminuísse o efeito da dor. Já quase todas as fibras se tinham rompido e, no entanto, a fibra principal ainda resistia. A dor na mão foi aumentando, abandonei o meu plano inicial, e comecei a trabalhar freneticamente. Sabia agora que ia chegar a um ponto em que a dor seria insuportável. Esse ponto estava perto e era apenas uma questão de tempo, um tempo que eu precisava de vencer. Fui serrando, batendo, sentindo que entre a pele e a ligadura alguma coisa pastosa começava a dificultar os movimentos. Devia ser sangue, pensei, mas evitei pensar mais. Cerrei os dentes e de repente a fibra central pareceu ceder. Eu estava tão nervoso que me levantei imediatamente e dei um pontapé, com todas as minhas forças, naquele tronco que estava a causar-me tanto sofrimento.

Com um ruído, a cruz caiu para o lado, livre da sua base.

A minha alegria durou apenas poucos segundos. A mão começou a latejar violentamente, quando mal tinha começado a tarefa. Olhei para Petrus e ele tinha adormecido. Durante algum tempo fiquei a imaginar uma maneira de enganá-lo, de colocar a cruz em pé sem que ele notasse.

Mas era exactamente isso que Petrus queria: que eu colocasse a cruz de pé. E não tinha nenhuma maneira de o enganar, porque a tarefa só dependia de mim.

Olhei para o chão, para a terra amarela e seca. Novamente as pedras seriam a minha única saída. Já não podia trabalhar mais com a mão direita, porque estava demasiado dorida, e tinha aquela coisa pastosa dentro que me dava uma imensa aflição. Tirei devagar a camisa que envolvia as ligaduras: o vermelho do sangue tinha manchado a gaze, depois do ferimento estar quase cicatrizado. Petrus era desumano.

Procurei um outro tipo de pedra, mais pesada e mais resistente. Enrolando a camisa na mão esquerda, comecei a bater no solo e a cavar em frente do pé da cruz. O progresso inicial, que parecia rápido, logo cedeu diante de um solo duro e ressequido. Eu continuava a cavar e o buraco parecia ter sempre a mesma profundidade. Decidi não alargar muito o buraco, para que a cruz pudesse encaixar sem ficar frouxa na base, e isto aumentava a minha dificuldade em tirar a terra do fundo. A mão direita tinha deixado de doer, mas o sangue coagulado dava-me enjoo e aflição. Como não tinha prática em trabalhar com a mão esquerda, a todo o momento a pedra soltava-se dos meus dedos.

Cavei durante um tempo interminável. Cada vez que a pedra batia no chão, cada vez que a minha mão entrava no buraco para tirar a terra, pensava em Petrus. Olhava o seu sono tranquilo e odiava-o do fundo do meu coração. Nem o barulho nem o ódio pareciam pertur- bá-lo. «Petrus deve ter os seus motivos», pensava eu, mas não podia entender aquela servidão, e a maneira como me tinha humilhado. En- tão o solo transformava-se no seu rosto, eu batia com a pedra, e a raiva ajudava-me a cavar mais fundo. Agora era apenas uma questão de tem- po: mais cedo ou mais tarde eu iria conseguir.

Quando acabei de pensar nisto, a pedra tocou em algo sólido e soltou-se mais uma vez. Era exactamente o que eu temia; depois de tanto tempo de trabalho, tinha encontrado outra pedra, demasiado grande para que pudesse prosseguir.

Levantei-me, enxuguei o suor do rosto, e comecei a pensar. Não tinha forças suficientes para transportar a cruz para outro lugar. Não poderia começar tudo de novo, porque a mão esquerda – agora que tinha parado – começava a dar sinais de insensibilidade. Aquilo era pior que a dor e deixou-me preocupado. Comecei a olhar para os dedos e vi que continuavam a mover-se, a obedecer ao meu comando, mas o meu instinto dizia que eu não devia sacrificar mais aquela mão.

Olhei para o buraco. Não era suficientemente fundo para man- ter a cruz com todo o seu peso.

«A solução errada irá indicar-te a certa.» Lembrei-me do exercí- cio das sombras e da frase de Petrus. Ao mesmo tempo, ele dizia insistentemente que as PRÁTICAS DE RAM só tinham sentido se eu as pudesse aplicar aos desafios diários da vida. Mesmo diante de uma situação absurda como aquela, as PRÁTICAS DE RAM deviam servir para alguma coisa.

«A solução errada irá indicar-te a certa.» O caminho impossível era arrastar a cruz para outro lugar, porque eu não tinha forças para isso. O caminho impossível era continuar cavando, cavar mais fundo naquele chão.

Então se o caminho errado era cavar mais no chão, o caminho possível era levantar o chão. Mas como?

E de repente, todo o meu amor por Petrus voltou. Ele estava certo. Eu podia levantar o chão.

Comecei a juntar todas as pedras que tinha em volta, e a colocá--las em torno do buraco, misturando-as com a terra retirada. Com grande esforço, levantei um pouco o pé da cruz e calcei-o com pedras, de maneira que ficasse mais alto. Em meia hora o chão estava mais alto, e o buraco era suficientemente profundo.

Agora só me restava atirar a cruz para dentro do buraco. Era o último esforço e eu tinha que conseguir. Uma das mãos estava insensível, e a outra toda dorida. Os meus braços estavam enfaixados. Mas eu tinha as costas boas, apenas com alguns arranhões. Se me deitasse por baixo da cruz, e a fosse levantando aos poucos, poderia fazê-la deslizar para dentro.

Deitei-me no chão, sentindo a poeira na boca e nos olhos. A mão insensível fez um último esforço, levantou a cruz um pouco, e pus-me debaixo dela. Com todo o cuidado ajeitei-me para que o tronco ficasse sobre a minha coluna. Sentia o seu peso, era grande, mas não era impossível. Lembrei-me do exercício da semente e, com toda a lentidão, fui-me acomodando em posição fetal debaixo da cruz, equilibrando-a nas minhas costas. Algumas vezes pensei que ela iria escorregar, mas estava indo bem devagar, de maneira que conseguia prever o desequilíbrio e corrigi-lo com a postura do corpo. Finalmente atingi a posição fetal, colocando os joelhos para a frente e mantendo-a equilibrada nas minhas costas. Por um momento o pé da cruz vacilou no monte de pedras, mas não saiu do lugar.

«Ainda bem que não preciso de salvar o universo», pensei, esmagado pelo peso daquela cruz e de tudo aquilo que ela representava. E um profundo sentimento de religiosidade apossou-se de mim. Lembrei-me que alguém já a tinha carregado às costas, e que as suas mãos feridas não podiam escapar – como as minhas – da dor e da madeira. Era um sentimento de religiosidade cheio de dor, que afastei de imediato da cabeça, porque a cruz nas minhas costas começava a vacilar de novo.

Então, levantando-me devagar, comecei a renascer. Não podia olhar para trás e o ruído era a minha única forma de orientação – mas pouco antes tinha aprendido a escutar o mundo, como se Petrus pudesse adivinhar que eu ia precisar deste tipo de conhecimento agora. Sentia o peso e as pedras acomodando-se, mas a cruz subia lentamente para redimir-me daquela prova, e voltar a ser a estranha moldura de uma parte do Caminho de Santiago.

Só faltava agora o esforço final. Quando estivesse sentado nos meus calcanhares, ela devia escorregar das minhas costas e iria afundar-se no buraco. Uma ou duas pedras fugiram do lugar, mas a cruz agora ajudava-me, pois não saiu da direcção do local onde eu tinha levantado o chão. Finalmente, um puxão nas minhas costas indicou que a base tinha ficado livre. Era o momento final, semelhante ao da cachoeira, quando tive que atravessar a corrente de água. O momento mais difícil, porque se tem medo de perder, e se quer desistir antes que isso aconteça. Senti mais uma vez o absurdo da minha tarefa, colocar uma cruz em pé, quando tudo o que eu queria era encontrar a minha espada e derrubar todas as cruzes para que pudesse renascer no mundo o Cristo Redentor. Nada disso importava. Num golpe súbito, empurrei as costas, a cruz deslizou, e naquele momento entendi mais uma vez que era o destino quem estava a guiar a obra que eu tinha feito.

Fiquei a aguardar o baque da cruz, a cair para o outro lado e a atirar para todos os cantos as pedras que tinha juntado. Pensei em seguida que o impulso podia não ter sido o suficiente, e que ela iria voltar a cair sobre mim. Mas tudo o que ouvi foi um ruído surdo, de alguma coisa batendo contra o fundo da terra.

Virei-me devagar. A cruz estava de pé, ainda a balançar por causa do impulso. Algumas pedras rolavam do monte, mas ela não ia cair. Rapidamente recoloquei as pedras no lugar, e abracei-me a ela para que parasse de balançar. Nesse momento sentia-a viva, quente,

certo de que tinha sido uma amiga durante toda a minha tarefa. Fui-
-me soltando devagar, ajustando as pedras com os pés.

Fiquei a admirar o meu trabalho durante algum tempo, até que as feridas começaram a doer. Petrus ainda dormia. Cheguei junto dele, e sacudi-o com o pé.

Ele acordou logo, e olhou a cruz.

– Muito bem – foi tudo o que disse. – Em Ponferrada mudam-se as ligaduras.

A Tradição

– Eu preferia ter levantado uma árvore. Aquela cruz nas costas deu-me a impressão de que o objectivo da busca da sabedoria é ser sacrificado pelos homens.

Olhei em redor, e as minhas próprias palavras soaram sem sentido. O episódio da cruz era algo distante, como se já tivesse acontecido há muito tempo – e não no dia anterior. Não combinava de modo nenhum com a casa de banho em mármore negro, a água morna da banheira de hidromassagem, e o cálice de cristal com um excelente vinho Rioja que eu bebia devagar. Petrus estava fora do alcance da minha visão, no quarto do luxuoso hotel onde nos tínhamos hospedado.

– Porquê a cruz? – insisti.

– Foi uma dificuldade convencer na portaria que não eras um mendigo – gritou ele do quarto.

Ele tinha mudado de assunto e eu sabia, por experiência própria, que não adiantava insistir. Levantei-me, vesti as calças e uma camisa lavada, e refiz as ligaduras dos ferimentos. Tinha aberto os curativos com todo o cuidado, esperando encontrar chagas, mas apenas a crosta da ferida se tinha rompido, deixando sair um pouco de sangue. Uma nova cicatriz já se formara, e estava a sentir-me recuperado e bem disposto.

Jantámos no próprio restaurante do hotel. Petrus pediu a especialidade da casa – uma *paella* valenciana – que comemos em silêncio, acompanhando apenas com o saboroso vinho Rioja. No final do jantar, ele convidou-me para dar uma volta. Saímos do hotel e fomos em direcção da estação ferroviária. Ele tinha voltado ao seu mutismo habitual, e continuou calado durante toda a caminhada. Chegámos a um pátio de uma estação de comboios de manobras, sujo e cheirando a óleo, e ele sentou-se na borda de uma gigantesca locomotiva.

– Vamos ficar por aqui – disse.

Eu não queria sujar as minhas calças nas manchas de óleo, e resolvi ficar de pé. Perguntei se não era melhor caminhar até à praça principal de Ponferrada.

– O Caminho de Santiago está prestes a acabar – disse o meu guia. – E como a nossa realidade está muito mais perto destes vagões a cheirar a óleo, do que dos bucólicos recantos que conhecemos na nossa jornada, é melhor que a nossa conversa de hoje seja aqui.

Petrus pediu que eu tirasse os ténis e a camisa. Depois afrouxou as ligaduras do braço, deixando-as mais livres. Mas conservou as das mãos.

– Não te aflijas – disse ele. – Não vais precisar das mãos agora; pelo menos para pegar algo.

Estava mais sério que o habitual, e o seu tom de voz deixou-me preocupado. Algo de importante estava para acontecer.

Petrus voltou a sentar-se na borda da locomotiva e ficou a olhar-me longo tempo. Depois disse:

– Não vou dizer-te nada sobre o episódio de ontem. Descobrirás por ti mesmo o seu significado, e isso só acontecerá se decidires algum dia fazer o Caminho de Roma, que é o Caminho dos Carismas e dos milagres. Quero apenas dizer-te uma única coisa: os homens que se julgam sábios são indecisos na hora de mandar e são rebeldes na hora de servir. Acham uma vergonha dar ordens e uma desonra recebê-las. Jamais te comportes assim.

»No quarto, falaste que o caminho da sabedoria levava ao sacrifício. Isso é um erro. O teu aprendizado não terminou ontem: falta descobrires a tua espada e o segredo que ela contém. As Práticas de RAM levam o homem a travar o Bom Combate e a ter maiores oportunidades na vida. A experiência pela qual passaste ontem era apenas uma prova do Caminho – uma preparação para o Caminho de Roma, se quiseres – e entristece-me que tenhas pensado assim.

Havia realmente um tom de tristeza na sua voz. Notei que durante todo o tempo em que estivemos juntos, eu quase sempre tinha posto em dúvida aquilo que ele me ensinava. Eu não era um Castañeda humilde e poderoso diante dos ensinamentos de Don Juan, mas um homem soberbo e rebelde frente a toda a simplicidade das Práticas De RAM. Quis dizer-lhe isso, mas sabia que agora era muito tarde.

– Fecha os olhos – disse Petrus. – Faz o Sopro de RAM e procura harmonizar-te com este ferro, estas máquinas e este cheiro de óleo. Este é o nosso mundo. Só deves abrir os olhos quando eu tiver acabado a minha parte, e for ensinar-te um exercício.

Concentrei-me no Sopro, fechei os olhos e o meu corpo começou a descontrair-se. Havia o ruído da cidade, alguns cães a ladrar ao longe, e um burburinho de vozes a discutir, não muito longe do lugar onde estávamos. De repente, comecei a ouvir a voz de Petrus a cantar uma música italiana que tinha sido um grande sucesso na minha adolescência, na voz de Pepino Di Capri. Eu não entendia a letra, mas a canção trouxe-me grandes recordações, e ajudou-me a entrar num estado de maior tranquilidade.

– Há algum tempo atrás – começou ele, assim que parou de cantar – quando eu preparava um projecto para entregar na Prefeitura de Milão, recebi um recado do meu Mestre. Alguém tinha seguido até ao fim o caminho da Tradição, e não tinha recebido a sua espada. Eu devia guiá-lo pelo Caminho de Santiago.

»O facto não foi surpresa para mim: eu já estava à espera de um chamamento destes a qualquer momento, porque ainda não tinha pago a minha tarefa: guiar um peregrino pela Via Láctea, da mesma maneira que eu tinha sido guiado um dia. Mas isso deixou-me nervoso, porque era a primeira e única vez que tinha que fazer isso, e não sabia como ia desempenhar a minha missão.

As palavras de Petrus foram uma grande surpresa para mim. Eu achava que ele já tinha feito aquilo dezenas de vezes.

– Tu vieste e eu conduzi-te – continuou. – Confesso que no começo foi muito difícil, porque estavas muito mais interessado no lado intelectual dos ensinamentos do que no verdadeiro sentido do Caminho, que é o caminho das pessoas comuns. Depois do encontro com Alfonso, passei a ter uma relação muito mais forte e intensa contigo, e a acreditar que te faria aprender o segredo da tua espada. Mas isso não aconteceu, e agora terás que aprender por ti mesmo, no pouco tempo que te resta para isso.

A conversa estava a deixar-me nervoso, e fez com que eu me desconcentrasse do Sopro de RAM. Petrus deve ter percebido, pois voltou a cantar a velha canção, e só terminou quando eu estava de novo descontraído.

– Se descobrires o segredo e encontrares a tua espada, descobrirás também a face de RAM, e serás dono do Poder. Mas isso não é tudo: para atingir a sabedoria total, ainda terás que percorrer os outros Três Caminhos, inclusive o caminho secreto, que não te será revelado mesmo por quem passou por ele. Digo-te isto porque só nos vamos encontrar mais uma vez.

O meu coração deu um salto dentro do peito e involuntariamente abri os olhos. Petrus estava a brilhar, com aquele tipo de luz que só tinha visto no Mestre.

– Fecha os olhos! – e obedeci prontamente. Mas o meu coração estava pequeno, e não conseguia concentrar-me mais. O meu guia voltou à canção italiana, e só depois de longo tempo me descontraí um pouco.

– Amanhã vais receber um bilhete a dizer onde estou. Será um ritual de iniciação colectivo, um ritual de honra à Tradição. Aos homens e mulheres que durante todos estes séculos têm ajudado a manter acesa a chama da sabedoria, do Bom Combate, e de Ágape. Poderás não falar comigo. O local onde nos vamos encontrar é sagrado, banhado pelo sangue de cavaleiros que seguiram o caminho da Tradição e, mesmo com as suas espadas afiadas, foram incapazes de derrotar as trevas. Mas o sacrifício deles não foi em vão, e a prova disso é que, séculos depois, pessoas que seguem caminhos diferentes estarão ali para prestar o seu tributo. Isto é importante, e tu não o deves esquecer jamais: mesmo que te tornes um Mestre, sabe que o teu caminho é apenas um dos muitos que levam a Deus. Jesus disse certa vez: «A casa de meu Pai tem muitas Moradas.» E sabia perfeitamente do que estava a falar.

Petrus tornou a dizer que, depois do dia seguinte, não tornaria a vê-lo.

– Um dia, no futuro, receberás uma comunicação minha, a pedir que conduzas alguém pelo Caminho de Santiago, da mesma maneira que eu te conduzi. Então poderás viver o grande segredo desta jornada, que é um segredo que vou revelar-te agora, mas apenas por palavras. É um segredo que precisa de ser vivido para ser compreendido.

Houve um silêncio prolongado. Cheguei a pensar que ele tivesse mudado de ideias, ou que tivesse saído do estacionamento de comboios. Senti um desejo enorme de abrir os olhos e ver o que se estava a passar, e esforcei-me por concentrar-me no SOPRO DE RAM.

– O segredo é o seguinte – disse a voz de Petrus depois de longo tempo. – Só podes aprender quando ensinares. Nós fizemos juntos o Estranho Caminho de Santiago, mas enquanto aprendias as Práticas, eu passava a conhecer o significado das Práticas. Ao ensinar-te, eu aprendi de verdade. Ao assumir o papel de guia, eu consegui encontrar o meu próprio caminho.

»Se conseguires encontrar a tua espada, terás que ensinar o Caminho a alguém. E só quando isso acontecer, quando aceitares o papel de Mestre, é que vais ver todas as respostas dentro do teu coração. Todos nós já conhecemos tudo, antes que alguém nos tenha sequer falado a respeito. A vida ensina a cada momento, e o único segredo é aceitar que, apenas com o nosso quotidiano, podemos ser tão sábios como Salomão e tão poderosos como Alexandre Magno. Mas só tomamos conhecimento disso quando somos forçados a ensinar alguém, e a participar de aventuras tão extravagantes como esta.

Eu estava a viver uma das despedidas mais inesperadas da minha vida. Alguém com quem eu tinha tido uma ligação tão intensa, que esperava que me conduzisse até ao meu objectivo, largava-me ali no meio do caminho. Numa estação de comboios, a cheirar a óleo, e mantendo-me de olhos fechados.

– Eu não gosto de dizer adeus – continuou Petrus. – Sou italiano e sou emocional. Por força da Lei, terás que descobrir a tua espada sozinho – esta é a única maneira de acreditares no teu próprio poder. Tudo o que eu tinha para transmitir-te, já te transmiti. Falta apenas o exercício da dança, que te vou ensinar agora e que deverás realizar amanhã, na celebração ritual.

Ficou em silêncio algum tempo, e então falou.

– Aquele que se glorifica, que se glorifique no Senhor. Podes abrir os olhos.

Petrus estava sentado normalmente num engate da locomotiva. Não senti nenhuma vontade de falar, porque era brasileiro e também emocional. A lâmpada de mercúrio que nos iluminava começou a piscar, e um comboio apitou ao longe, anunciando a sua próxima chegada.

Petrus então ensinou-me o Exercício Da Dança.

– Mais uma coisa – disse ele a olhar fundo nos meus olhos. – Quando eu acabei a minha peregrinação, pintei um belo e imenso quadro, revelando tudo o que se tinha passado comigo até aqui. Este é o caminho das pessoas comuns, e podes fazer o mesmo, se quiseres. Se não sabes pintar, escreve qualquer coisa, ou inventa um *ballet*. Assim, independentemente de onde estiverem, as pessoas poderão percorrer a Rota Jacobeia, a Via Láctea, o Estranho Caminho de Santiago.

O comboio que tinha apitado começou a entrar na estação. Petrus fez um aceno e sumiu-se entre os vagões da estação. E eu fiquei ali no meio daquele ruído de freios sobre o aço, a tentar decifrar a misteriosa Via Láctea sobre a minha cabeça, com as suas estrelas que me tinham conduzido até aqui e que conduziam, no seu silêncio, a solidão e o destino de todos os homens.

No dia seguinte tinha apenas uma nota no escaninho do meu quarto: 7:00 PM Castillo De Los Templarios.

Passei o resto da tarde a andar de um lado para o outro. Atravessei mais de três vezes a pequena cidade de Ponferrada, enquanto olhava de longe, numa elevação, o Castelo onde deveria estar ao entardecer. Os Templários sempre excitaram muito a minha imaginação, e o castelo em Ponferrada não era a única marca da Ordem do Templo na Rota Jacobeia. Criada pela decisão de nove cavaleiros que decidiram não voltar das Cruzadas, eles tinham em pouco tempo espalhado o seu poder por toda a Europa e provocado uma verdadeira revolução de costumes no começo deste milénio. Enquanto a maior parte da nobreza da época se preocupava apenas em enriquecer às custas do trabalho servil no sistema feudal, os Cavaleiros do Templo dedicaram as suas vidas, as suas fortunas e as suas espadas apenas a uma causa: proteger os peregrinos a caminho de Jerusalém, encontrando um modelo de vida espiritual que os ajudasse na busca da sabedoria.

O Exercício da Dança

Descontrai-te. Fecha os olhos.

Imagina as primeiras músicas que escutaste na tua vida. Começa a cantá-las em pensamento. Aos poucos, vais deixando que determinada parte do teu corpo – pés, barriga, mãos, cabeça, etc. –, mas apenas uma parte, comece a dançar a melodia que estás a cantar.

Cinco minutos depois, pára de cantar mentalmente, e escuta os ruídos que te cercam. Compõe com eles uma música e dança com todo o corpo. Evita pensar em qualquer coisa, mas procura lembrar-te das imagens que aparecerão espontaneamente.

A dança é uma das mais perfeitas formas de comunicação com a Inteligência Infinita.

Duração: quinze minutos.

· Em 1118, quando Hugues de Payns e mais oito cavaleiros se reuniram no pátio de um velho castelo abandonado, fizeram um juramento de amor pela humanidade. Dois séculos depois já existiam mais de cinco mil comendadorias espalhadas por todo o mundo conhecido, conciliando duas actividades que até então pareciam incompatíveis: a vida militar e a vida religiosa. As doações dos seus membros e de milhares de peregrinos agradecidos fez com que a Ordem do Templo acumulasse em pouco tempo uma riqueza incalculável, que mais de uma vez serviu para resgatar cristãos importantes sequestrados por muçulmanos. A honestidade dos Cavaleiros era tão grande que reis e nobres confiavam aos Templários os seus valores, viajando apenas com um documento para comprovar a existência daqueles bens. Este documento podia ser trocado em qualquer Castelo da Ordem do Templo por uma soma equivalente, e deu origem às letras de câmbio, que conhecemos ainda hoje.

A devoção espiritual, por sua vez, fez com que os Cavaleiros Templários entendessem a grande verdade relembrada por Petrus na noite anterior: que a Casa do Pai tinha muitas Moradas. Procuraram então deixar de lado os combates pela fé, e reunir as principais religiões monoteístas da época: cristã, judaica e islâmica. As suas capelas passaram a ter a cúpula redonda do templo judaico de Salomão, as paredes octogonais das mesquitas árabes, e as naves típicas das igrejas cristãs.

Porém, como tudo o que chega um pouco antes da época, os Templários começaram a ser olhados com desconfiança. O grande poder económico passou a ser cobiçado pelos reis, e a abertura religiosa tornou-se uma ameaça para a Igreja. Na sexta-feira, 13 de Outubro de 1307, o Vaticano e os principais Estados Europeus desencadearam uma das maiores operações policiais da Idade Média: durante a noite, os principais chefes templários foram sequestrados dos seus castelos e conduzidos à prisão. Eram acusados de praticar cerimónias secretas que incluíam a adoração do Demónio, blasfémias contra Jesus Cristo, rituais orgíacos e a prática de sodomia com os aspirantes. Depois de uma violenta série de torturas, abjurações e traições, a Ordem do Templo foi varrida do mapa da história medieval. Tiveram os seus tesouros confiscados e os seus membros dispersos pelo mundo. O último mestre da Ordem, Jacques de Molay, foi queimado vivo no centro de Paris, juntamente com outro companheiro. O seu último pedido foi morrer olhando as torres da Catedral de Notre-Dame*.

A Espanha, entretanto, empenhada na Reconquista da Península Ibérica, achou por bem aceitar os Cavaleiros que fugiam de toda a Europa, para ajudar os seus reis no combate que travavam contra os Mouros. Estes Cavaleiros foram absorvidos pelas Ordens espanholas, entre as quais a Ordem de Santiago da Espada, responsável pela guarda do Caminho.

Tudo isto me passou pela cabeça quando, exactamente às sete em ponto da tarde, cruzei a porta principal do velho Castelo do Templo em Ponferrada, onde tinha um encontro marcado com a Tradição.

Não havia ninguém. Esperei durante meia hora, a fumar um cigarro atrás de outro, até que imaginei o pior: o Ritual deve ter sido às 7:00 AM, ou seja, de manhã. Mas no momento em que decidia ir-me embora, entraram duas jovens com a bandeira da Holanda e com a vieira – símbolo do Caminho de Santiago – costuradas na roupa. Elas chegaram até mim, trocámos algumas palavras, e concluímos que esperávamos a mesma coisa. O bilhete não estava errado, pensei com alívio.

Cada quinze minutos chegava alguém. Aparececeu um australiano, cinco espanhóis, e mais um holandês. Além de algumas poucas perguntas sobre o horário – dúvida que era comum a todos – não

---

* A quem desejar aprofundar mais a história e a importância da Ordem do Templo, recomendo o pequeno, mas interessante livro, *Os Templários* de Régine Pernaud (Ed. Europa-América).

conversámos quase nada. Sentámo-nos juntos no mesmo local do castelo – um átrio em ruínas que tinha servido de depósito de alimentos nos tempos antigos – e decidimos aguardar até que alguma coisa acontecesse. Mesmo que fosse necessário esperar mais um dia e mais uma noite.

A espera prolongou-se e resolvemos conversar um pouco sobre os motivos que nos tinham trazido até ali. Foi então que vim a saber que o Caminho de Santiago é utilizado por várias ordens, a maioria delas ligada à Tradição. As pessoas que estavam ali tinham passado por muitas provas e iniciações, mas provas que eu tinha conhecido muito tempo antes, no Brasil. Apenas eu e o australiano estávamos em busca do grau máximo do Primeiro Caminho. Mesmo sem entrar em detalhes, percebi que o processo do australiano era completamente distinto das Práticas de RAM.

Aproximadamente às 8:45 da noite, quando íamos começar a conversar sobre as nossas vidas pessoais, soou um gongo. O barulho vinha da antiga capela do Castelo. E dirigimo-nos para lá.

Foi uma cena impressionante. A capela – ou o que restava dela, já que a maior parte era apenas ruínas – estava toda iluminada por archotes. No lugar onde um dia tinha estado o altar, perfilavam-se sete vultos vestidos com os trajes seculares dos Templários: capuz e elmo de aço, uma cota de malha de ferro, a espada e o escudo. Perdi a respiração: parecia que o tempo dera um salto para trás. A única coisa que mantinha o sentido da realidade eram os nossos trajes, *jeans* e *T-shirts* com vieiras costuradas.

Mesmo com a fraca iluminação dos archotes, pude perceber que um dos Cavaleiros era Petrus.

– Aproximem-se dos vossos Mestres – disse aquele que parecia ser o mais velho. – Olhem apenas os seus olhos. Tirem a roupa e recebam as vestes.

Eu encaminhei-me para Petrus e olhei fundo nos seus olhos. Ele estava numa espécie de transe e pareceu não me reconhecer. Mas percebi nos seus olhos uma certa tristeza, a mesma tristeza que a sua voz denotara na noite anterior. Tirei completamente a roupa, e Petrus entregou-me uma espécie de túnica negra, perfumada, que caiu solta pelo meu corpo. Deduzi que um daqueles mestres devia ter mais de um discípulo, mas não pude ver qual era porque tinha que manter os olhos fixos nos olhos de Petrus.

O Sumo Sacerdote encaminhou-nos para o centro da capela, e dois cavaleiros começaram a traçar um círculo ao nosso redor, enquanto o consagravam:

– Trinitas, Sother, Messias, Emmanuel, Sabahot, Adonay, Athanatos, Jesu...*

E o círculo foi sendo traçado, protecção indispensável aos que estavam dentro dele. Reparei que quatro destas pessoas tinham a túnica branca, o que significa voto total de castidade.

– Amides, Theodonias, Anitor! – disse o Sumo Sacerdote. – Pelos méritos dos Anjos, Senhor, eu coloco a vestimenta da salvação, e que tudo aquilo que eu desejar possa transformar-se em realidade, através de Ti, oh Mui Sagrado Adonai, cujo Reino dura para sempre. Ámen!

O Sumo Sacerdote colocou sobre a cota de malha o manto branco, com a Cruz Templária bordada a vermelho no centro. Os outros Cavaleiros fizeram o mesmo.

Eram exactamente nove horas da noite, hora de Mercúrio, o Mensageiro. E ali estava eu, de novo no centro de um círculo da Tradição. Um incenso de hortelã, manjericão e benjoim foi aspergido na capela. E começou a grande invocação, feita por todos os Cavaleiros:

---

* Por ser um ritual extremamente longo, e que só pode ser compreendido por aqueles que conhecem o caminho da Tradição, optei por resumir as fórmulas utilizadas. Isto, entretanto, não tem nenhuma consequência no livro, já que este ritual foi executado apenas visando o reencontro e o respeito pelos Antigos. O importante desta parte no Caminho de Santiago – o Exercício da Dança – é aqui descrito no seu todo.

– Oh Grande e Poderoso Rei N., que reina pelo poder do Supremo Deus, EL, sobre todos os espíritos superiores e inferiores, mas especialmente sobre a Ordem Infernal do Domínio do Este eu vos invoco ... *(suprimido)*... de maneira que eu possa conseguir o meu desejo, seja ele qual for, desde que ele seja próprio ao teu trabalho, pelo poder de Deus, EL, que criou e dispõe de todas as coisas, celestes, aéreas, terrestres e infernais.

Um profundo silêncio abateu-se sobre todos nós e, mesmo sem ver, pudemos sentir a presença do nome invocado. Isto era a consagração do Ritual, um sinal propício para prosseguir nas operações mágicas. Eu já participara de centenas de cerimónias assim, com resultados muito mais surpreendentes quando chega esta altura. Mas o Castelo Templário deve ter estimulado um pouco a minha imaginação, pois julguei ver, pairando ao canto esquerdo da capela, uma espécie de ave brilhante que nunca vira antes.

O Sumo Sacerdote aspergiu-nos com água, sem pisar dentro do círculo. Depois, com a Tinta Sagrada, escreveu na terra os 72 nomes pelos quais Deus é chamado na Tradição.

Todos nós – peregrinos e Cavaleiros – começámos a recitar os nomes sagrados. O fogo dos archotes crepitou, sinal de que o espírito invocado se tinha submetido.

Chegara o momento da Dança. Entendi porque Petrus me tinha ensinado a dançar no dia anterior, uma dança diferente daquela que eu costumava fazer nesta etapa do ritual.

Uma regra não nos foi dita, mas todos nós já a conhecíamos: ninguém pode pisar fora daquele círculo de protecção, já que não carregávamos as protecções que aqueles Cavaleiros tinham debaixo das suas cotas de malha. Eu mentalizei o tamanho do círculo, e fiz exactamente o que Petrus me tinha ensinado.

Comecei a pensar na infância. Uma voz, uma longínqua voz de mulher dentro de mim começou a cantar cantigas de roda. Ajoelhei-me, encolhi-me todo na posição de semente, e senti que o meu peito

– apenas o meu peito – começava a dançar. Sentia-me bem, e já estava por completo no Ritual da Tradição. Aos poucos, a música dentro de mim foi-se transformando, os movimentos ficaram mais bruscos, e entrei num poderoso êxtase. Via tudo escuro, e o meu corpo não tinha mais gravidade naquela escuridão. Comecei a passear pelos campos floridos de Aghata, e neles encontrei-me com o meu avô e com um tio que tinha marcado muito a minha infância. Senti a vibração do Tempo na sua teia de quadrados, onde todas as estradas se confundem e se misturam, e se igualam, apesar de serem tão diferentes. A determinada altura vi passar, com muita velocidade, o australiano: ele tinha um brilho vermelho no seu corpo.

A próxima imagem completa foi a de um cálice e uma patena*, e esta imagem ficou fixa durante muito tempo, como se quisesse dizer-me alguma coisa.

Tentava decifrá-la, mas não conseguia compreender nada, apesar de ter a certeza de que se relacionava com a minha espada. Depois julguei ver a face de RAM, surgindo no meio da escuridão que se formou quando o cálice e a patena desapareceram. Mas quando a face se aproximou era apenas a face de N., o espírito invocado, e meu velho conhecido. Não estabelecemos qualquer tipo de comunicação especial, e a sua face dispersou-se na escuridão que ia e voltava.

Não sei por quanto tempo ficámos a dançar. Mas de repente ouvi uma voz:

– IAHWEH, TETRAGRAMMATON... – e eu não queria sair do transe, mas a voz insistia:

– IAHWEH, TETRAGRAMMATON... – e reconheci a voz do Sumo Sacerdote, fazendo com que todos saíssem do transe. Aquilo irritou-me. A

---

* Espécie de prato circular, normalmente de ouro, utilizado pelo sacerdote durante a missa para colocar a hóstia consagrada.

Tradição ainda era a minha raiz, e eu não queria voltar. Mas o Mestre insistia:

– Iahweh, Tetragrammaton... Não houve maneira de manter o transe. Contrariado, voltei para a Terra. Estava de novo no círculo mágico, no ambiente ancestral do Castelo Templário.

Nós – os peregrinos – entreolhámo-nos. O súbito corte parecia ter desgostado todos. Senti uma imensa vontade de comentar com o australiano que o tinha visto. Quando o olhei, percebi que as palavras eram desnecessárias: ele vira-me também.

Os cavaleiros colocaram-se à nossa volta. As mãos começaram a bater com as espadas nos escudos, criando um barulho ensurdecedor. Até que o Sumo Sacerdote disse:

– Oh Espírito N., porque tu diligentemente atendeste às minhas demandas, com solenidade permito que partas, sem injúria a homem ou besta. Vai, eu te digo, e que estejas pronto e ansioso por voltar, sempre quando devidamente exorcisado e conjurado pelos Sagrados Ritos da Tradição. Eu conjuro-te a retirares-te pacífica e quietamente, e possa a Paz de Deus continuar para sempre entre ti e mim. Ámen.

O círculo foi desfeito e nós ajoelhámo-nos de cabeça baixa. Um cavaleiro rezou connosco sete Pais-Nossos e sete Avé-Marias. O Sumo Sacerdote acrescentou sete Creio-Em-Deus-Padre, afirmando que Nossa Senhora de Medjugorje – cujas aparições estavam a acontecer na Jugoslávia desde 1982 – assim tinha determinado. Iniciávamos agora um Ritual Cristão.

– Andrew, levante-se e venha até aqui – disse o Sumo Sacerdote. O australiano caminhou até à frente do altar, onde estavam reunidos os sete Cavaleiros.

Um outro cavaleiro – que devia ser o seu guia – disse:

– Irmão, demandais a companhia da Casa?

– Sim – respondeu o australiano. E eu entendi que ritual cristão presenciávamos: a Iniciação de um Templário.

– Sabeis as grandes severidades da Casa, e as ordens caridosas que nela estão?

– Estou disposto a suportar tudo, por Deus, e desejo ser servo e escravo da Casa, sempre, todos os dias da minha vida – respondeu o australiano.

Vieram uma série de perguntas rituais, algumas das quais já não faziam qualquer sentido no mundo de hoje, e outras de profundo devotamento e amor. Andrew, de cabeça baixa, a tudo respondia.

– Distinto irmão, pedis-me grande coisa, pois da nossa religião não vedes senão a casa exterior, os belos cavalos, as belas roupas – disse o seu guia. – Mas não sabeis os duros mandamentos que estão por dentro: pois é dura coisa que vós, que sois senhor de vós mesmos, vos façais servo de outrem, pois raramente fareis vós alguma coisa que queirais. Se quiserdes estar aqui, mandar-vos-ão para o outro lado do mar, e se quiserdes estar em Acre mandar-vos-ão para a terra de Trípolis, ou de Antioquia, ou da Arménia. E quando quiserdes dormir, sereis obrigado a velar, e se quiserdes ficar de vela, sereis mandado descansar sobre o vosso leito.

– Quero entrar na Casa – respondeu o australiano. Parecia que os ancestrais templários, que um dia habitaram aquele castelo, assistiam satisfeitos à cerimónia de iniciação. Os archotes crepitavam intensamente.

Seguiram-se várias admoestações, e a todas o australiano contestou que aceitava, que queria entrar na Casa. Finalmente o seu guia virou-se para o Sumo Sacerdote, e repetiu todas as respostas que o australiano dera. O Sumo Sacerdote, com solenidade, perguntou mais uma vez se ele estava disposto a aceitar todas as normas que a Casa exige.

– Sim, Mestre, se Deus quiser. Venho diante de Deus, e diante de vós, e diante dos irmãos, e imploro-vos e solicito-vos, por Deus e por Nossa Senhora, que me acolhais na vossa companhia e nos favores da Casa, espiritual e temporalmente, como aquele que quer ser servo e escravo da Casa, todos os dias da sua vida, daqui por diante.

– Fazei-o vir, por amor de Deus – disse o Sumo Sacerdote.

E nesse momento todos os Cavaleiros desembainharam as suas espadas e apontaram-nas para o céu. Depois abaixaram as lâminas e fizeram uma coroa de aço em torno da cabeça de Andrew. O fogo fazia com que as lâminas reflectissem uma luz dourada, dando ao momento carácter sagrado.

Solenemente o seu mestre aproximou-se. E entregou-lhe a sua espada.

Alguém começou a tocar um sino, e o sino ecoava pelas paredes do antigo castelo, repetindo-se a si próprio até ao infinito. Todos nós abaixámos as cabeças e os Cavaleiros sumiram-se da vista. Quando tornámos a erguer o rosto, éramos apenas dez, pois o australiano tinha saído com eles para o banquete ritual.

Mudámos as nossas roupas e despedimo-nos sem mais formalidades. A dança deve ter durado muito tempo, pois começava a clarear. Uma imensa solidão invadiu a minha alma.

Senti inveja do australiano, que tinha recuperado a sua espada e chegado ao final da sua busca. Eu estava sozinho, sem ninguém para me guiar daí por diante porque a Tradição – num distante país da América do Sul – tinha-me expulso dela sem me ensinar o caminho de volta. E tive que percorrer o Estranho Caminho de Santiago, que agora chegava ao fim, sem que soubesse o segredo da minha espada, ou a maneira de encontrá-la.

O sino continuava a tocar. Ao sair do Castelo, com o dia quase a amanhecer, reparei que era o sino de uma igreja próxima, chamando os fiéis para a primeira missa do dia. A cidade despertava para as suas horas de trabalho, de amores sofridos, de sonhos distantes e de contas a pagar. Sem que nem o sino, nem a cidade soubessem que, naquela noite, um rito ancestral tinha mais uma vez sido consumado, e aquilo que julgavam morto há séculos continuava a renovar-se e a mostrar o seu imenso Poder.

O CEBREIRO

– O senhor é um peregrino? – perguntou a menina, única presença viva naquela tarde tórrida de Villafranca del Bierzo.

Eu olhei e não disse nada. Ela devia ter uns oito anos de idade, estava mal vestida, e tinha corrido até à fonte onde eu me tinha sentado para descansar um pouco.

A minha única preocupação agora era chegar depressa a Santiago de Compostela e acabar de vez com aquela aventura louca. Não conseguia esquecer a voz triste de Petrus na estação do Caminho de Ferro, nem o seu olhar distante quando fixara os meus olhos nos dele, durante o Ritual da Tradição. Era como se todo o esforço que ele tivesse feito para ajudar-me tivesse resultado em nada. Quando o australiano foi chamado para o altar, tenho a certeza de que ele gostaria que eu também tivesse sido chamado. A minha espada poderia muito bem estar escondida naquele castelo, cheio de lendas e de sabedoria ancestral. Era um local que se adaptava perfeitamente a todas as conclusões a que eu tinha chegado: deserto, visitado apenas por alguns peregrinos que respeitavam as relíquias da Ordem do Templo, e num terreno sagrado.

Mas apenas o australiano fora chamado ao altar. E Petrus devia estar humilhado diante dos outros, porque não tinha sido um guia capaz de conduzir-me até à espada.

Além disso, o Ritual da Tradição tinha novamente despertado em mim um pouco do fascínio pela sabedoria do Oculto, que já aprendera a esquecer enquanto fazia o Estranho Caminho de Santiago, o «caminho das pessoas comuns». As invocações, o controlo quase absoluto da matéria, a comunicação com os outros mundos, tudo aquilo era muito mais interessante que as Práticas de RAM. Era possível que as Práticas tivessem uma aplicação mais objectiva na minha vida; sem dúvida tinha mudado muito desde que começara a percorrer o Estranho Caminho de Santiago. Tinha descoberto, graças à ajuda de Petrus, que o conhecimento adquirido podia fazer-me transpor cachoeiras, vencer Inimigos, e conversar com o Mensageiro sobre coisas práticas e objectivas. Tinha conhecido o rosto da minha Morte, e o Globo Azul do Amor-Que-Devora, inundando o mundo inteiro. Estava pronto para travar o Bom Combate e fazer da vida uma teia de vitórias.

Mesmo assim, uma parte escondida de mim ainda sentia saudades dos círculos mágicos, das fórmulas transcendentais, do incenso e da Tinta Sagrada. O que Petrus chamara «uma homenagem aos Antigos», tinha sido para mim um contacto intenso e saudoso com velhas lições esquecidas. E a simples possibilidade de que talvez nunca mais pudesse ter acesso a esse mundo deixava-me sem estímulo para prosseguir.

Quando voltei ao hotel, depois do Ritual da Tradição, estava junto à minha chave *El Guia Del Peregrino,* um livro que Petrus utilizava para os pontos onde as marcas amarelas eram menos visíveis, e para que pudéssemos calcular a distância entre uma cidade e outra. Deixei Ponferrada naquela mesma manhã – sem dormir – e segui o Caminho. Na primeira tarde descobri que o mapa não estava em escala – o que me obrigou a passar uma noite ao relento, num abrigo natural de rocha.

Aí, meditando sobre tudo o que me tinha acontecido desde o encontro com Mme. Christine, não saía da minha cabeça o esforço insistente de Petrus para fazer com que entendesse que, ao contrário do que sempre nos tinham ensinado, o importante eram os resultados. O esforço era saudável e indispensável, mas sem os resultados ele não significava nada. E o único resultado que eu podia esperar de mim mesmo, e de tudo aquilo que tinha passado, era encontrar a minha espada. O que não acontecera até agora. E faltavam apenas poucos dias de caminhada para chegar a Santiago.

– Se o senhor for peregrino, eu posso levá-lo até à Porta do Perdão – insistiu a menina junto à fonte de Villafranca Del Bierzo. – Quem passa essa Porta, não precisa de ir até Santiago.

Eu estendi-lhe algumas pesetas, para que se fosse logo embora e me deixasse em paz. Mas, pelo contrário, a menina começou a brincar com a água da fonte, molhando a mochila e as minhas bermudas.

– Vamos, vamos senhor – disse ela mais uma vez. Naquele exacto momento, eu pensava numa das constantes citações de Petrus: «Aquele que lavra, cumpre fazê-lo com esperança. O que debulha, fá-lo na esperança de receber a parte que lhe é devida.» Era uma das cartas do Apóstolo Paulo.

Eu precisava de resistir mais um pouco. Continuar a procurar até ao final, sem ter medo de ser derrotado. Ter ainda a esperança de encontrar a minha espada e decifrar o seu segredo.

E – quem sabe? – se aquela menina estivesse a tentar dizer-me algo que eu não estava a querer entender. Se o Portal do Perdão, que ficava numa igreja, tinha o mesmo efeito espiritual que a chegada a Santiago, por que não podia estar ali a minha espada?

– Vamos então – disse eu à garota. Olhei para o monte que tinha acabado de descer; era preciso voltar atrás e subir parte dele novamente. Eu tinha passado pelo Portal do Perdão sem qualquer desejo de conhecê-lo, pois o meu único objectivo fixo era chegar a Santiago. No entanto, ali estava uma garota, única presença viva naquela tarde tórrida de Verão, a insistir para eu voltar atrás e conhecer algo que tinha passado de lado. Talvez a minha pressa e o meu desânimo me tivessem feito passar pelo meu objectivo sem o reconhecer. Afinal de contas, porque é que aquela garota não se fora embora assim que lhe dei o dinheiro?

Petrus sempre dissera que eu gostava muito de fantasiar as coisas. Mas ele podia estar enganado.

Enquanto acompanhava a garota, ia-me lembrando da história do Portal do Perdão. Era uma espécie de «arranjo» que a Igreja tinha feito com os peregrinos doentes, já que dali para a frente o Caminho voltava a ser acidentado e cheio de montanhas até Compostela. Então, no século XII, um Papa dissera que quem não tivesse forças para ir adiante, bastava atravessar o Portal do Perdão e receberia as mesmas indulgências dos peregrinos que chegavam ao fim do Caminho. Num passe de mágica, o tal Papa tinha resolvido o problema das montanhas e estimulado as peregrinações.

Subimos pelo mesmo lugar em que tinha passado antes: caminhos sinuosos, escorregadios e íngremes. A menina ia à frente, disparada como um raio, e muitas vezes tive que pedir-lhe que andasse mais devagar. Ela obedecia por um certo tempo, e logo perdia o sentido da velocidade e começava a correr de novo. Meia hora depois de muitas reclamações, chegámos finalmente ao Portal do Perdão.

– Eu tenho a chave da Igreja – disse ela. – Vou entrar e abrir o Portal, para que o senhor o atravesse.

A garota entrou pela porta principal e fiquei à espera do lado de fora. Era uma capela pequena, e o Portal era uma abertura voltada para o Norte. Tinha o umbral todo decorado com vieiras e cenas da vida de Santiago. Quando comecei a ouvir o barulho da chave na fechadura, um imenso pastor alemão – surgido não sei donde – aproximou-se e interpôs-se entre mim e o Portal.

O meu corpo preparou-se imediatamente para a luta. «Mais uma vez – pensei comigo mesmo. Esta história parece que nunca mais vai acabar. Sempre provas, lutas e humilhações. E nenhuma pista da espada.»

Neste momento, porém, a Porta do Perdão abriu-se e a menina apareceu. Ao ver o cachorro a olhar para mim – e eu já de olhos fixos nos olhos dele – ela disse algumas palavras carinhosas, e o animal amansou logo. A abanar o rabo, ele seguiu em direcção ao fundo da Igreja.

Era possível que Petrus tivesse razão. Eu adorava fantasiar as coisas. Um simples pastor alemão tinha-se transformado em algo ameaçador e sobrenatural. Aquilo era um mau sinal – sinal de cansaço que leva à derrota.

Mas ainda restava uma esperança. A menina fez um sinal para que eu entrasse. Com o coração cheio de expectativa, atravessei o Portal do Perdão e recebi as mesmas indulgências que os peregrinos de Santiago. Os meus olhos percorreram o templo vazio, quase sem imagens, em busca da única coisa que me interessava.

– Ali estão os capitéis em concha, símbolo do Caminho – começou a garota, cumprindo o seu papel de guia turístico. – Esta é Santa Águeda do século...

Em pouco tempo percebi que tinha sido inútil repetir todo aquele caminho.

– E este é Santiago Matamouros, a brandir a sua espada e com os Mouros sob o seu cavalo, estátua do século...

Ali estava a espada de Santiago. Mas não estava a minha. Estendi mais algumas pesetas à garota e ela não aceitou. Meio ofendida, pediu que eu saísse imediatamente e deu por encerradas as explicações sobre a Igreja.

Desci novamente a montanha e voltei a caminhar em direcção a Compostela. Enquanto passava pela segunda vez por Villafranca del Bierzo, apareceu outro homem, que disse chamar-se Angel e perguntou-me se queria conhecer a Igreja de São José Operário. Apesar da magia do seu nome*, eu tinha acabado de ter uma decepção, e já estava certo de que Petrus era um verdadeiro conhecedor do espírito humano. Nós temos sempre tendência para fantasiar as coisas que não existem, e não ver as grandes lições que estão diante dos nossos olhos.

Mas apenas para confirmar mais uma vez isso, deixei-me conduzir por Angel até chegarmos à outra igreja. Estava fechada e ele não tinha a chave. Mostrou-me, sobre a porta, a estátua de São José com as ferramentas de carpinteiro na mão. Eu olhei, agradeci, e ofereci-lhe algumas pesetas. Ele não quis aceitar, e largou-me no meio da rua.

---

* «*Angel*» quer dizer «Anjo» em espanhol.

– Temos orgulho da nossa cidade – disse. – Não é por dinheiro que fazemos isto.

Voltando mais uma vez pelo mesmo caminho, em quinze minutos eu tinha deixado para trás Villafranca Del Bierzo, com as suas portas, as suas ruas, e os seus guias misteriosos que nada pediam em troca.

Segui durante algum tempo pelo terreno montanhoso à minha frente, onde o esforço era muito e o progresso muito pequeno. No começo pensava apenas nas minhas preocupações anteriores – a solidão, a vergonha de ter decepcionado Petrus, a minha espada e o seu segredo. Mas aos poucos, a imagem da garota e de Angel começaram a voltar a cada instante ao meu pensamento. Enquanto eu estava de olhos fixos na minha recompensa, eles tinham-me dado o melhor de si. O seu amor por aquela cidade. Sem pedirem nada em troca. Uma ideia ainda meio confusa começou a formar-se nas profundezas de mim mesmo. Era uma espécie de elemento de ligação entre tudo aquilo. Petrus tinha insistido sempre que a busca da recompensa era absolutamente necessária para que se chegasse à Vitória. No entanto, sempre que eu esquecia o resto do mundo e passava a preocupar-me apenas com a minha espada, ele fazia-me voltar à realidade através de processos dolorosos. Este procedimento tinha-se repetido várias vezes durante o Caminho.

Era algo propositado. E ali devia estar o segredo da minha espada. O que estava mergulhado no fundo da minha alma começou a sacudir-se e a mostrar um pouco de luz. Eu ainda não sabia o que estava a pensar, mas algo me dizia que estava na pista certa.

Agradeci por ter cruzado com Angel e com a menina; havia o Amor-Que-Devora na maneira como falavam das igrejas. Fizeram-me percorrer duas vezes o caminho que eu tinha determinado fazer naquela tarde. E por causa disso, eu tinha tornado a esquecer o fascínio do Ritual da Tradição, e voltado às terras de Espanha.

Lembrei-me de um dia já muito distante, quando Petrus me contou que tínhamos percorrido várias vezes a mesma rota nos Pirenéus. Senti saudades daquele dia. Tinha sido um bom começo

– quem sabe se a repetição do mesmo facto, agora, era presságio de um bom final.

Naquela noite cheguei a um povoado e pedi pousada na casa de uma velha senhora, que me cobrou uma quantia mínima pela cama e pela alimentação. Conversámos um pouco, ela falou-me da sua fé em Jesus do Sagrado Coração, e das suas preocupações com a safra das oliveiras naquele ano de seca. Tomei o vinho, a sopa, e fui dormir cedo.

Sentia-me mais tranquilo, por causa daquele pensamento que se formava em mim e que devia estar a explodir. Rezei, fiz alguns exercícios que Petrus me tinha ensinado e resolvi invocar Astrain.

Precisava de conversar com ele sobre o que tinha acontecido durante a luta com o cão. Naquele dia ele tinha feito o possível para prejudicar-me, e, depois da sua recusa no episódio da cruz, estava decidido a afastá-lo para sempre da minha vida. Mas se não tivesse identificado a sua voz, teria cedido às tentações que apareceram durante todo o combate.

«Fizeste o possível por ajudar a Legião a vencer», disse eu.

«Eu não luto contra os meus irmãos», respondeu Astrain. Era a resposta que eu esperava. Eu já fora prevenido a esse respeito, e era tolice ficar aborrecido por o Mensageiro seguir a sua própria natureza. Tinha que buscar nele o companheiro que me ajudasse em momentos como o que estava a passar agora – esta era a sua única função. Deixei de lado o rancor e começámos a conversar animadamente sobre o Caminho, sobre Petrus, e sobre o segredo da espada, que eu pressentia já estar dentro de mim. Ele não me disse nada de importante, apenas que esses segredos lhe eram vedados. Mas pelo menos tive alguém para desabafar um pouco, depois de uma tarde inteira em silêncio. Conversámos até tarde, quando a velha bateu à minha porta para dizer que eu falava enquanto dormia.

Acordei mais animado e comecei a caminhada de manhã bem cedo. Pelos meus cálculos, chegaria naquela mesma tarde às terras da Galiza, onde ficava Santiago de Compostela. O caminho era todo a subir, e eu tive que fazer o dobro do esforço durante quase quatro

horas, para manter o ritmo de caminhada que me impusera. A todo
o momento esperava que, na próxima lomba, começasse a descer.
Mas isso não acontecia nunca e eu acabei por perder as esperanças
de andar mais rápido naquela manhã. Ao longe, via algumas montanhas mais altas, e lembrava-me a todo o instante que mais cedo ou
mais tarde teria que passar por elas. O esforço físico, porém, tinha
parado quase por completo o meu pensamento, e comecei a sentir-
-me mais amigo de mim mesmo.

Ora bolas, pensei, afinal de contas quantos homens neste mundo
podiam levar a sério alguém que larga tudo para procurar uma espada? E o que poderia significar, verdadeiramente, na minha vida, o
facto de não conseguir encontrá-la? Eu tinha aprendido as Práticas
de RAM, tinha conhecido o meu Mensageiro, lutado com o cão e
olhado para a minha Morte – repetia, mais uma vez, tentando convencer-me de como era importante para mim o Caminho de Santiago.
A espada era apenas uma consequência. Gostaria de encontrá-la, mas
gostaria mais ainda de saber o que fazer com ela. Porque precisava de
utilizá-la de algum modo prático, como tinha utilizado os exercícios
que Petrus me ensinara.

Parei de repente. O pensamento que até então estava submerso,
explodiu. Tudo à minha volta ficou claro e uma onda incontrolável
de Ágape jorrou dentro de mim. Desejei com toda a intensidade que
Petrus estivesse ali, para que pudesse contar-lhe aquilo que queria
saber de mim, a única coisa que na verdade esperava que eu descobrisse, e que coroava todo aquele tempo enorme de ensinamentos
pelo Estranho Caminho de Santiago: qual era o segredo da minha
espada.

E o segredo da minha espada, como o segredo de qualquer conquista que o homem busca nesta vida, era a coisa mais simples do
mundo: o que fazer com ela.

Eu jamais tinha pensado nestes termos. Durante o Estranho Caminho de Santiago, tudo o que queria saber era onde ela estava escondi-

da. Não me perguntei porque desejava encontrá-la, e para que precisava dela. Estava com toda a minha energia voltada para a recompensa, sem entender que quando alguém deseja algo, tem que ter uma finalidade muito clara para aquilo que quer. Este é o único motivo para se buscar uma recompensa, e este era o segredo da minha espada.

Petrus precisava de saber que eu descobrira isto, mas eu tinha a certeza que não voltaria a vê-lo. Ele esperara tanto por este dia e não o tinha visto.

Então, em silêncio, ajoelhei-me, tirei um papel do meu caderno de anotações, e escrevi o que pretendia fazer com a minha espada. Depois dobrei a folha cuidadosamente, e coloquei-a debaixo de uma pedra – que me lembrava o seu nome e a sua amizade. O tempo em breve destruiria este papel, mas simbolicamente estava a entregá-lo a Petrus.

Ele já sabia o que eu ia conseguir com a minha espada. A minha missão com Petrus também estava cumprida.

Segui montanha acima, com Ágape fluindo dentro de mim e colorindo toda a paisagem ao meu redor. Agora que tinha descoberto o segredo, teria de descobrir o que procurava. Uma fé, uma certeza inabalável tomou conta de todo o meu ser. Comecei a cantar a música italiana que Petrus tinha relembrado na estação de comboios. Como eu não sabia a letra da música, passei a inventar as palavras. Não tinha ninguém por perto, atravessava uma mata espessa, e o isolamento fez-me cantar mais alto. Aos poucos, percebi que as palavras que inventava faziam um sentido absurdo na minha cabeça, era um meio de comunicação com o mundo que só eu conhecia, pois o mundo estava a ensinar-me agora.

Eu experimentara isso de uma maneira diversa, quando tivera o meu primeiro encontro com a Legião. Naquele dia, tinha-se manifestado em mim o Dom das Línguas. Tinha sido servo do Espírito, que me utilizou para salvar uma mulher, criar um Inimigo, e ensinar-me a forma cruel do Bom Combate. Agora era diferente: eu era o Mestre de mim mesmo, e aprendia a conversar com o Universo.

Comecei a conversar com todas as coisas que apareciam no caminho: troncos de árvores, poças de água, folhas caídas e trepadeiras vistosas. Era um exercício de pessoas comuns que as crianças ensinavam e os adultos esqueciam. Mas tinha uma misteriosa resposta das coisas, como se entendessem o que eu estava a dizer, e em troca me inundassem com o Amor-Que-Devora. Entrei numa espécie de transe e fiquei assustado, mas estava disposto a seguir com aquele jogo até me cansar.

Petrus mais uma vez tinha razão: ensinando-me a mim mesmo, eu transformava-me num Mestre.

Chegou a hora do almoço e não parei para comer. Quando atravessava as pequenas povoações do caminho falava mais baixo, ria sozinho, e se alguém porventura me prestou atenção, deve ter concluído que os peregrinos hoje em dia chegavam loucos à Catedral de Santiago. Mas isso não tinha importância, porque celebrava a vida ao meu redor e já sabia o que tinha que fazer com a minha espada, quando a encontrasse.

Durante o resto da tarde caminhei em transe, consciente de onde queria chegar, mas muito mais consciente da vida que me cercava e que me devolvia Ágape. No céu começaram a formar-se, pela primeira vez, nuvens carregadas; e torci para que chovesse – porque depois de tanto tempo de caminhada e de seca, a chuva era uma experiência nova, excitante. Quando deram três horas da tarde pisei terras da Galiza, e vi no meu mapa que faltava apenas uma montanha para completar a travessia daquela etapa. Decidi comigo mesmo que haveria de transpô-la e dormir no primeiro lugar habitado da descida: Tricastela, onde um grande rei – Alfonso IX – tinha sonhado criar uma imensa cidade, que muitos séculos depois ainda não passava de uma vila rural.

Ainda a cantar e a falar a língua que tinha inventado para conversar com as coisas, comecei a subir a montanha que faltava: o Cebreiro. O nome vinha de remotos povoados romanos no local, e parecia

indicar o mês «Fevereiro», quando algo importante devia ter acontecido. Antigamente era considerado o passo mais difícil da Rota
Jacobeia, mas hoje as coisas tinham mudado. Excepto pela subida,
mais íngreme que as outras, uma imensa antena de televisão num
monte vizinho servia sempre de referência aos peregrinos e evitava
os constantes desvios de rota – comuns e fatais no passado.

As nuvens começaram a baixar muito, e em pouco tempo eu
entraria na neblina. Para chegar a Tricastela, tinha que seguir com
todo o cuidado as marcas amarelas, já que a antena de televisão estava oculta pelo nevoeiro. Se me perdesse, dormiria mais uma noite ao
relento – e naquele dia, com a ameaça da chuva, imaginava essa experiência bastante desagradável. Uma coisa é deixar que os pingos
nos caiam no rosto, gozar a plenitude da liberdade e da vida, mas
terminar à noite num lugar acolhedor – com um copo de vinho e
uma cama onde descansar o suficiente para a caminhada do dia seguinte. Outra é deixar que os pingos de água se transformem numa
noite insone, tentando dormir na lama, com as ligaduras molhadas
servindo de solo fértil para a infecção no joelho.

Tinha que decidir rapidamente. Era seguir em frente e atravessar
o nevoeiro – já que ainda tinha bastante luz para isso – ou voltar e
dormir no pequeno povoado pelo qual tinha passado há algumas
horas, deixando a travessia do Cebreiro para o dia seguinte.

No momento em que notei a necessidade de uma decisão ime-
diata, notei também que alguma coisa estranha estava a acontecer
comigo. A certeza de que tinha descoberto o segredo da minha
espada empurrava-me para a frente, em direcção ao nevoeiro que
em breve me cercaria. Era um sentimento bem diverso daquele que
me fizera seguir a menina até à Porta do Perdão, ou o homem que
me levou à Igreja de São José Operário.

Lembrei-me que, das poucas vezes que aceitei dar um Curso de
Magia no Brasil, costumava comparar a experiência mística a uma
outra experiência que nós todos já tivemos: andar de bicicleta. Co-

meçamos por subir na bicicleta, impulsionando o pedal e caindo. Andamos e caímos, andamos e caímos, e não aprendemos a equilibrarmo-nos aos poucos. De repente, todavia, acontece o equilíbrio perfeito e conseguimos dominar inteiramente o veículo. Não existe uma experiência acumulativa, mas uma espécie de «milagre», que só se manifesta no momento em que a bicicleta passa a «andar connosco»; ou seja, quando aceitamos seguir o equilíbrio das duas rodas e, à medida que o seguimos, passamos a utilizar o impulso inicial de queda para transformá-lo numa curva ou em mais impulso para o pedal.

Naquele momento da subida do Cebreiro, às quatro horas da tarde, notei que o mesmo milagre tinha acontecido. Depois de tanto tempo a andar pelo Caminho de Santiago, o Caminho de Santiago passava a «andar-me». Eu seguia aquilo que todos chamam de Intuição. E por causa do Amor-Que-Devora que tinha experimentado durante todo o dia, por causa do segredo da minha espada que tinha sido descoberto, e porque o homem nos momentos de crise toma sempre a decisão correcta, caminhava sem medo em direcção ao nevoeiro.

«Esta nuvem tem que acabar», pensava enquanto lutava para descobrir as marcas amarelas nas pedras e nas árvores do Caminho. Fazia quase uma hora que a visibilidade era muito pouca, e eu continuava cantando, para afastar o medo, enquanto esperava que algo de extraordinário acontecesse. Cercado pela neblina, sozinho naquele ambiente irreal, comecei mais uma vez a ver o Caminho de Santiago como se fosse um filme, no momento em que se vê o herói fazer o que ninguém faria, enquanto na plateia, se pensa que estas coisas só acontecem no cinema. Mas ali estava eu, vivendo essa situação na vida real. A floresta ia ficando cada vez mais silenciosa, e o nevoeiro começou a clarear muito. Podia ser que estivesse a chegar ao final, mas aquela luz confundia os meus olhos e pintava tudo à minha volta com cores misteriosas e aterradoras.

O silêncio era agora quase total, e eu prestava atenção a isso quando julguei ouvir, vinda da minha esquerda, uma voz de mulher.

Parei imediatamente. Esperava que o som se repetisse, mas não escutei nenhum ruído – nem mesmo o barulho normal das florestas, com os seus grilos, insectos e animais pisando folhas secas. Olhei para o relógio: eram exactamente 5:15 da tarde. Calculei que ainda faltavam uns quatro quilómetros para chegar a Torrestrela, e o tempo de caminhada era mais que suficiente para que o pudesse fazer ainda com a luz do dia.

Quando tirei os olhos do relógio, escutei novamente a voz feminina. A partir daquele momento, iria viver uma das experiências mais importantes de toda a minha vida.

A voz não vinha de nenhum lugar da floresta, mas de dentro de mim mesmo. Conseguia escutá-la de uma maneira clara e nítida e ela fazia com que o meu sentido de Intuição a tornasse mais forte. Não era eu – nem Astrain – o dono daquela voz. Ela disse-me apenas que eu devia continuar a caminhar, ao que obedeci sem pestanejar. Era como se Petrus tivesse voltado, falando-me do mandar e do servir, e naquele instante eu fosse apenas um instrumento do Caminho que «me caminhava». O nevoeiro foi ficando cada vez mais claro, mais claro, como se eu estivesse a chegar perto do seu final. Ao meu lado, árvores esparsas, um terreno húmido e escorregadio, e a mesma subida íngreme que eu já trilhava há bastante tempo.

De repente, como num passe de mágica, o nevoeiro desfez-se por completo. E diante de mim, cravada no alto da montanha, estava a Cruz.

Olhei em volta, vi o mar de nuvens de onde saíra, e outro mar de nuvens bem acima da minha cabeça. Entre estes dois oceanos, os picos das montanhas mais altas e o pico do Cebreiro, com a Cruz. Fui tomado de uma grande vontade de rezar. Mesmo sabendo que aquilo me ia tirar do caminho de Torrestrela, resolvi subir até ao alto da montanha e fazer as minhas orações ao pé da cruz. Foram quarenta minutos de subida que fiz em silêncio externo e interno. A língua que eu tinha inventado tinha desaparecido da minha cabeça, já não servia para comunicar-me nem com os homens, nem com Deus. O

Caminho de Santiago era quem me «estava andando», e ele revelaria
o local da minha espada. Petrus mais uma vez estava certo.

Ao chegar ao topo, um homem estava sentado ao lado da Cruz,
a escrever algo. Por alguns momentos pensei que era um enviado,
uma visão sobrenatural. Mas a Intuição disse que não e eu via a vieira
costurada na sua roupa; era apenas um peregrino que me olhou por
longo tempo e se foi embora, importunado com a minha presença.
Talvez ele estivesse à espera da mesma coisa que eu – um Anjo – e nós
tínhamo-nos descoberto como homens. No caminho das pessoas
comuns.

Apesar do desejo de orar, não consegui dizer nada. Fiquei diante da
cruz por muito tempo, a olhar as montanhas e as nuvens – que cobriam
o céu e a terra, deixando apenas os altos cumes sem neblina. A uma
centena de metros abaixo de mim, um lugarejo com quinze casas e uma
pequena igreja começou a acender as suas luzes. Pelo menos eu tinha
onde passar a noite, quando o Caminho assim ordenasse. Não sabia
exactamente a que horas isso ia acontecer, mas apesar de Petrus ter partido, eu não estava sem um guia. O caminho «andava-me».

Um cordeiro desgarrado subiu o monte e ficou entre mim e a cruz.
Ele olhou-me um pouco assustado. Durante muito tempo fiquei a olhar
o céu quase negro, a cruz, e o cordeiro branco aos seus pés. Então
senti, de uma só vez, o cansaço de todo aquele tempo de provas, de
lutas, de lições e de caminhada. Uma dor terrível apareceu no meu
estômago, e começou a subir pela garganta, até se transformar em
soluços secos, sem lágrimas, diante daquele cordeiro e daquela cruz.
Uma cruz que eu não precisava de colocar em pé, porque estava ali
diante de mim, resistindo ao tempo, solitária e imensa. Mostrava o
destino que o homem dera, não ao seu deus, mas a si mesmo. As lições
do Caminho de Santiago começavam todas a voltar à minha cabeça,
enquanto soluçava diante do testemunho solitário daquele cordeiro.

– Senhor – disse eu, finalmente conseguindo rezar. – Não estou
pregado nesta cruz, e tão-pouco Vos vejo aí. Esta cruz está vazia e
assim deve permanecer para sempre, porque o tempo da Morte já
passou, e um deus agora ressuscita dentro de mim. Esta cruz era o

símbolo do Poder infinito que todos nós temos, pregado e morto no homem. Agora este Poder renasce para a vida, o mundo está salvo, e sou capaz de operar os seus Milagres. Porque percorri o caminho das pessoas comuns, e nelas encontrei o Teu próprio segredo. Também Tu percorreste o caminho das pessoas comuns. Vieste ensinar-nos tudo aquilo de que éramos capazes, e nós não quisemos aceitar. Mostraste-nos que o Poder e a Glória estavam ao alcance de todos, e esta súbita visão da nossa capacidade foi de mais para nós. Nós crucificámos-Te não porque somos ingratos para com o filho de Deus, mas porque tínhamos muito medo de aceitar a nossa própria capacidade. Nós crucificámos-Te com medo de nos transformarmos em deuses. Com o tempo e com a tradição, Tu voltaste a ser apenas uma divindade distante, e nós voltámos ao nosso destino de homens.

»Não existe nenhum pecado em ser feliz. Meia dúzia de exercícios e um ouvido atento bastam para conseguir que um homem realize os seus sonhos mais impossíveis. Por causa do meu orgulho na sabedoria, fizeste-me percorrer o caminho que todos podiam trilhar, e descobrir o que todos já sabem, se prestarem um pouco mais de atenção à vida. Fizeste-me ver que a busca da felicidade é pessoal, e não um modelo que possamos dar aos outros. Antes de descobrir a minha espada, tive que descobrir o seu segredo – e era tão simples, era apenas saber o que fazer com ela. Com ela e com a felicidade que ela irá representar para mim.

»Caminhei tantos quilómetros para descobrir coisas que eu já sabia, que todos nós sabemos, mas que sao tão difíceis de aceitar. Existe algo mais difícil para o homem, Senhor, que descobrir que pode atingir o Poder? Esta dor que sinto agora no meu peito, e que me faz soluçar e assusta o cordeiro, vem acontecendo desde que o homem existe. Poucos aceitaram o fardo da própria vitória: a maioria desistiu dos sonhos quando eles se tornaram possíveis. Recusaram-se a travar o Bom Combate porque não sabiam o que fazer com a própria felicidade, estavam por demais presos às coisas do mundo. Assim como eu, que queria encontrar a minha espada sem saber o que fazer com ela.

Um deus adormecido estava a acordar dentro de mim, e a dor era cada vez mais intensa. Sentia por perto a presença do meu Mestre, e consegui pela primeira vez transformar os soluços em lágrimas. Chorei de gratidão por ele me ter feito procurar a minha espada através do Caminho de Santiago. Chorei de gratidão por Petrus, por me ter ensinado, sem dizer nada, que eu atingiria os meus sonhos se descobrisse primeiro o que desejava fazer com eles. Vi a Cruz sem ninguém e o cordeiro a seus pés, livre para passear onde quisesse entre aquelas montanhas, e ver nuvens sobre a sua cabeça e sob os seus pés.

O cordeiro levantou-se, e eu segui-o. Já sabia onde me levar e, apesar das nuvens, o mundo tinha ficado transparente para mim. Mesmo que eu não estivesse a ver a Via Láctea no céu, tinha a certeza de que ela existia e mostrava a todos o Caminho de Santiago. Segui o cordeiro, que caminhou em direcção àquela cidadezinha – também chamada Cebreiro, como o monte. Ali, certa vez um milagre tinha acontecido – o milagre de transformar aquilo que se faz naquilo que se crê. O Segredo da minha espada e do Estranho Caminho de Santiago.

Enquanto descia a montanha, recordei a história. Um camponês de um povoado próximo subiu para ouvir missa no Cebreiro, num dia de grande tempestade. Celebrava essa missa um monge quase sem fé, que desprezou interiormente o sacrifício do camponês. Mas no momento da consagração, a hóstia transformou-se na carne de Cristo, e o vinho no seu sangue. As relíquias ainda estão ali, guardadas naquela pequena capela, um tesouro maior que toda a riqueza do Vaticano.

O cordeiro parou um pouco à entrada do povoado – onde só existe uma rua, que leva à igreja. Neste momento fui tomado por um imenso pavor, e comecei a repetir sem cessar: «Senhor, eu não sou digno de entrar em Tua Morada.» Mas o cordeiro olhou-me e falou comigo através dos seus olhos. Dizia que esquecesse para sempre a minha indignidade, porque o Poder tinha renascido em mim, da mesma maneira que podia renascer em todos os homens que transformassem a vida num Bom Combate. Um dia chegará – diziam os olhos do Cordeiro – em que o homem vai voltar a sentir orgulho de si mesmo, e toda a Natureza então louvará o despertar do deus que ali dormia.

Enquanto o cordeiro me olhava podia ler tudo isto nos seus olhos, e agora ele era o meu guia pelo Caminho de Santiago. Por um momento tudo ficou escuro, e comecei a ver cenas muito parecidas com as que tinha lido no Apocalipse: o Grande Cordeiro no seu trono, e os homens lavando as suas vestes e deixando-as claras com o sangue do Cordeiro. Era o despertar do deus adormecido em cada um. Vi também alguns combates, períodos difíceis, catástrofes que iam sacudir a Terra nos próximos anos. Mas tudo terminava com a vitória do Cordeiro, e com cada ser humano sobre a face da Terra despertando o deus adormecido com todo o seu Poder.

Então levantei-me e segui o cordeiro até à pequena capela, construída pelo camponês e pelo monge que passara a acreditar no que fazia. Ninguém sabe quem foram. Duas lápides sem nome no cemitério ao lado marcam o local onde estão enterrados os seus ossos. Mas é impossível saber qual é o túmulo do monge e qual o do camponês. Porque, para que houvesse o Milagre, era preciso que as duas forças tivessem travado o Bom Combate.

A capela estava cheia de luz quando cheguei à sua porta. Sim, eu era digno de entrar porque tinha uma espada e sabia o que fazer com ela. Não era o Portal do Perdão, porque eu já fora perdoado, tinha lavado as minhas vestes no sangue do Cordeiro. Agora queria apenas colocar as mãos na minha espada e sair travando o Bom Combate.

Na pequena construção não existia nenhuma cruz. Ali, no altar, estavam as relíquias do Milagre: o cálice e a patena que tinha visto durante a Dança, e um relicário de prata contendo o corpo e o sangue de Jesus. Eu voltava a acreditar em milagres e nas coisas impossíveis que o homem é capaz de conseguir na sua vida diária. Os altos cumes que me cercavam pareciam dizer que só estavam ali para desafiar o homem. E que o homem só existia para aceitar a honra desse desafio. O cordeiro esgueirou-se por um dos bancos e eu olhei em frente. Diante do altar, sorrindo – e talvez um pouco aliviado – estava o Mestre. Com a minha espada na mão. Eu parei, e ele aproximou-se, passando por mim sem parar e saindo para fora. Eu segui-o. Diante da capela, olhando para o céu escuro, ele desembainhou a minha espada e pediu que eu segurasse no punho juntamente com ele. Apontou a lâmina para cima, e disse o Salmo sagrado daqueles que viajam e lutam para vencer:

«Caiam mil ao teu lado, e dez mil à tua direita, tu não serás atingido. Nenhum mal te sucederá, praga nenhuma chegará à tua tenda; pois a seus Anjos dará ordens a teu respeito, para que te guardem em todos os teus Caminhos.»

Então eu ajoelhei-me, e ele tocou com a lâmina nos meus ombros enquanto dizia:

«Pisarás o leão e a áspide,
Calcarás aos pés o leãozinho e o dragão.»

No momento em que acabou de dizer isto, começou a chover. Chovia e fertilizava a terra, e aquela água só tornaria a voltar para o céu depois que tivesse feito nascer uma semente, crescer uma árvore, abrir uma flor. Chovia cada vez mais fortemente e eu fiquei de cabeça erguida, sentindo pela primeira vez em todo o Caminho de Santiago a água que vinha dos céus. Lembrei-me dos campos desertos, e estava feliz porque naquela noite estavam a ser molhados. Lembrei-me das pedras de León, dos trigais de Navarra, da aridez de Castela, dos vinhedos da Rioja, que hoje bebiam a água que descia em torrentes, trazendo a força do que está nos céus. Lembrei-me que tinha colocado uma cruz de pé, mas que a tempestade haveria de derrubá-la novamente por terra para que outro peregrino pudesse aprender o Mandar e o Servir. Pensei na cachoeira, que agora devia estar mais forte com a água da chuva, e em Foncebadon, onde tinha deixado tanto Poder para fertilizar novamente o solo. Pensei em tantas águas que bebi em tantas fontes, e que agora estavam a ser devolvidas. Eu era digno da minha espada, porque sabia o que fazer com ela.

O Mestre estendeu-me a espada, e eu segurei-a. Tentei buscar com os olhos o cordeiro, mas ele desaparecera. No entanto, isso não tinha a menor importância: a Água Viva descia dos céus e fazia com que a lâmina da minha espada brilhasse.

EPÍLOGO

SANTIAGO DE COMPOSTELA

Da janela do meu hotel posso ver a Catedral de Santiago, e alguns turistas estão à sua porta principal. Estudantes de roupas medievais negras passeiam entre as pessoas, e os vendedores de *souvenirs* começam a montar as suas barracas. É de manhã bem cedo, e, fora as anotações, estas linhas são as primeiras que escrevo sobre o Caminho de Santiago.

Cheguei ontem à cidade, depois de tomar um autocarro que fazia linha regular entre Pedrafita – perto do Cebreiro – e Compostela. Em quatro horas percorremos os 150 quilómetros que separavam as duas cidades, e lembrei-me da caminhada com Petrus – às vezes precisávamos de duas semanas para percorrer esta mesma distância. Daqui a pouco vou sair e deixar no túmulo de Santiago a imagem de N. Sra. da Aparecida montada nas vieiras. Depois, assim que for possível, tomo um avião de volta para o Brasil, pois tenho muito que fazer. Lembro-me de Petrus ter dito que tinha condensado toda a sua experiência num quadro, e passou pela minha cabeça a ideia de escrever um livro sobre o que passei. Mas isso ainda é uma ideia remota, e tenho muito que fazer agora que recuperei a minha espada.

O segredo da minha espada é meu e jamais irei revelá-lo. Ele foi escrito e deixado debaixo de uma pedra, mas com a chuva que caiu o papel já deve ter sido destruído. É melhor assim. Petrus não precisava de saber.

Perguntei ao Mestre como sabia ele a data em que eu chegaria, ou se já estava ali há bastante tempo. Ele riu, disse que tinha chegado na manhã anterior e partiria no dia seguinte, mesmo que eu não chegasse.

Perguntei como era possível isso, e ele não respondeu nada. Mas na hora de nos despedirmos, quando ele já estava dentro do carro alugado que o levaria de volta a Madrid, deu-me uma pequena comenda da Ordem de Santiago da Espada, e disse que eu já tivera uma grande Revelação, quando olhara no fundo dos olhos do cordeiro.

No entanto, se eu me esforçasse como me havia esforçado, talvez conseguisse um dia entender que as pessoas chegam sempre na hora exacta aos lugares onde são esperadas.

ÍNDICE

* Prática de RAM.

Editora
Pergaminho, Lda.

Rua da Alegria, n.º 486 – A • Amoreira
2645-167 CASCAIS • Portugal
Tel. (+351) 21 464 61 10 a 19 • Fax (+351) 21 467 40 08
e-mail pergaminho.mail@netcabo.pt

Distribuição e Vendas:
Pergaminho Distribuidora de Livros e Audiovisuais, Lda.
Tel. (+351) 21 465 88 30 a 39 • Fax (+351) 21 467 40 00
e-mail pergaminhodistr@netcabo.pt

N.º de referência desta obra no nosso catálogo: **134.698**

Este livro foi publicado graças à colaboração de: *Anabela Mesquita e Cláudia Duarte* (revisão), *Mónica Catalá* (ilustração da capa), *Gráfica 99* (composição/paginação/fotolitos).

Este livro foi impresso pela:
Rolo & Filhos – Artes Gráficas, Lda.

Dep. Legal n.º 226561/05

Se desejar receber gratuitamente
os nossos catálogos com regularidade,
solicite-nos.

Não deixe de consultar a nossa *homepage:*
www.editorapergaminho.pt